「食べられる」科学実験セレクション

身近な料理の色が変わる?
たった１分でアイスができる？

尾嶋 好美

SB Creative

著者プロフィール

尾嶋 好美(おじま よしみ)

筑波大学社会連携課GFESTコーディネータ。北海道大学農学部畜産科学科卒業、同大学院修了。筑波大学生命環境科学研究科博士課程単位取得満期退学。博士(学術)。多くの中高生の科学研究の指導や、親子向け科学実験教室などの科学教育活動を行っている。1男1女の母。

本文デザイン・アートディレクション:永瀬優子(ごぼうデザイン事務所)
写真:佳川奈央ほか
校正:曽根信寿

はじめに

「科学はわからないし、私には関係ない」「科学は科学者だけが扱うもの」と考えていませんか？

ご自身が幼かったころ、あるいはお子さんが小さかったとき、「どうして、空は青色なの？」「なんで、アリは並んで歩くの？」と、ひっきりなしに質問をする時期はなかったでしょうか。「なぜなぜ期」という言葉があるように、多くの子どもたちが、そうやって大人たちを困らせる時期があるようです。小さいときは、科学に興味があったはずなのに、年を取るにつれ関心が低くなっていくことには、何か理由があるのではないでしょうか。

私が自分の子どもを見ていて実感したのは、実際の生活と、学校で学ぶ「理科」がかけ離れていることでした。たとえば、小学校6年生の授業で「過酸化水素水に二酸化マンガンを入れると、酸素が発生する」と習っても、実際に見ることが少なく、単に「覚えるだけの知識」となりがちです。ただ、学校で実験を行うには大変な準備も必要で、気軽に取り組めないことも、よくわかります。

しかし、前述した過酸化水素水の実験は難しくても、「クエン酸を水に溶かして重曹を混ぜると、二酸化炭素が発生する」実験は、家庭でも挑戦しやすいでしょう。

考えてみれば、日本では、世界で類を見ないほど多くの人がすでに「実験をしている」とも言えます。というのは、一般の家庭で、これほどさまざまな地域の多様な料理を作る国は少ないからです。片栗粉を使ってとろみを出す中華料理、生卵を加熱して凝固させる和洋の卵料理……。そんなのは序の口で、うどんやソバを打つ人も、マヨネーズを手作りする人もいます。計画を立て、準備をし、手を動かして結果を出すという部分を見ると、料理と実験は似ています。

たとえばマヨネーズは、油と酢を混ぜて作ります。「混ざらないはずの油と酢(水分)を一体化させるために、何をどうしているのか」は、インターネットで検索すればすぐにわかります。ただ、調べて「そうなんだ」と思っても、何もしなければそのうち忘れてしまうでしょう。しかし、一度「マヨネーズを作る実験」を行うと、自分の手を動かし、実際に混ざっていく様子を見、においをかぎ、食べて味わうという体験をすることになり、五感の記憶とともに残ります。「界面活性剤に相当する物質があると、水と油を混ぜあわせることができる」ことを深く理解でき、発想が広がるはずです。「なぜ、洗剤にも界面活性剤が含まれているんだろう？　あ、油汚れを水に混ぜるため？」というように。

こんな風に「自分で考える力」が、現代を生きるうえで強く必要とされていると思います。「わからないことは検索すればいい」という時代だからこそ、大切なのは「誰でもすぐに取り出せるような知識を持っていること」ではなく、「知識を活用する力」です。

そこで、この本では、家庭で気軽にでき、最終的には食べることができる実験を取り上げました。「料理のレシピ」ではなく「科学実験の手引き」なので、「すごくおいしい」とは限りませんが……。特別な道具が必要となる科学実験と異なり、実践しやすいものばかりです。

科学的にどのようなことが起こっているかを知ることで、おなじみの料理も珍しいお菓子も失敗しにくくなると思います。そして、「マヨネーズ作り」と「洗剤で汚れが落ちる」という、無関係に思えるふたつのことが、科学的には「界面活性剤の利用」という点でつながっている、そんなことにも気づくようになるでしょう。この本の実験を実際に試し、目の前で起こる「科学的な現象」を楽しんでくだされば著者としてとてもうれしいです。

2017年6月末日　尾嶋 好美

「食べられる」科学実験セレクション

身近な料理の色が変わる？　たった1分でアイスができる？

CONTENTS

SB Creative

コラム

実験を始める前に

この本では、家庭で気軽にでき、最終的には食べられる実験を取り上げています。食べられるという意味で「家庭料理」に似ている部分もありますが、やはり「科学実験」ですから、異なるところもあります。家での料理の目的は「おいしいものを作ること」。自分たちで食べるものですから、今日作るものと明日作るものの味が違っても、おおむね問題ないでしょう。

一方、科学実験は、誰が、いつ、どこで実行しても同じ結果が得られるということが大切です。その結果を再現できるという「再現性」がなければ、科学実験になりません。そして、どうしてそうなったのかを検証していくことも科学実験では重要です。キッチンで行う科学実験では、火加減や材料の混ぜ方、使う材料を完璧に統一することは困難です。この本の手順通りに実験してみても、結果が書いてあることと違ってしまうこともあるでしょう。その場合には「理論上はこうなるはずなのに、なぜ違ってしまったのか？」を考えてみてください。これが「実験を検証する」ということです。

家庭料理でも、「前に作ったときはおいしかったのに、今回はおいしくない」ときがあります。これは、目分量で適当に作ったことや材料の状態が違うこと、調理方法を変えたことなどが原因でしょう。料理本のレシピを参考にして、調味料などをきっちり量って作ったときには、同じような味になることが多いですね。「適当」ではなく、数値化しておくことはとても大切です。料理でも実験でも、科学的に検証したいときは、きちんと記録を取りましょう。特に実験では「実験ノート」(p.185参照)を作り、取りかかる前に、実験を行う日付や、予定する材料の重さなどを記します。また、自分の好きな味になるように材料の種類や量を変えたら、必ずメモを取りましょう。この数値が「適当」だと、再現性がありません。

もしも失敗したら、失敗した原因を考えてみましょう。卵白が泡立たなかったのは、もしかしたらボウルに少し油がついていたためかもしれません。卵黄が少し入ってしまっても泡立ちが悪くなります。原因がわかれば、次からは失敗が少なくなるはずです。

実験上の注意

- フライパンや圧力鍋、電子レンジなどを使う実験ではやけどに注意しましょう。お子さんは必ず大人と一緒に実験してください。
- 実験は、室内の温度や使用する材料によって、うまくいかないことがあります。うまくいかなかった場合には、その理由を考えてみましょう。予想と違う結果が出たときは、実験をおもしろくするチャンスです。「材料が違ったから?」「温度が違ったから?」など、いろいろと考えて試してみましょう。
- 本書では食べられる実験を紹介しています。ただし、料理のレシピ本ではないので、実験によっては、味よりも結果を重視して紹介しているものもあります。また、材料は食用のものを使い、衛生面などにも注意しましょう。
- 「用意するもの」には、主に使用する材料と道具を記載しています。水、スプーンや菜箸といった混ぜたりすくったりする道具、計量に使用する道具などは省略していますので、随時用意が必要です。天板はオーブンに付属したものを使用しています。

材料換算の目安一覧

		計量器1杯あたりの重量			比重
		小さじ1（5mL）	大さじ1（15mL）	カップ1（200mL）	
水	水	5g	15g	200g	1.0
基本調味料	砂糖※1（上白糖）	3g	9g	130g	0.65
	グラニュー糖	4g	12g	180g	0.9
	塩※2（精製塩）	6g	18g	240g	1.2
	塩※2（粗塩）	5g	15g	180g	0.9
	酢	5g	15g	200g	1.0
	みりん	6g	18g	230g	1.15
甘味類など	はちみつ	7g	21g	280g	1.4
	ジャム	7g	21g	250g	1.25
	ウスターソース	6g	18g	240g	1.2
油脂・乳類	油	4g	12g	180g	0.9
	バター	4g	12g	180g	0.9
	マヨネーズ	4g	12g	190g	0.95
	牛乳	5g	15g	210g	1.05
	生クリーム	5g	15g	200g	1.0
粉類	小麦粉（薄力粉）	3g	9g	110g	0.55
	小麦粉（強力粉）	3g	9g	110g	0.55
	片栗粉	3g	9g	130g	0.65
	コーンスターチ	2g	6g	100g	0.5
	ベーキングパウダー	4g	12g	150g	0.75
	重曹	4g	12g	190g	0.95
	クエン酸	3g	9g	—	—
	カレー粉	2g	6g	—	—
	粉ゼラチン	3g	9g	—	—
	粉寒天	1g	3g	—	—
	アガー	2g	6g	—	—

＊容量の大小によって、容量あたりの重量が異なる食品があります。製品による差が大きいものや家庭で少ない量しか使わないものは、カップあたりの容量などを掲載していません。
※1　本書で「材料」として「砂糖」と記載する場合、上白糖を使っています。
※2　本書のアイス（p.58参照）には精製塩、その他には粗塩を使っています。

あると便利な道具①

計量スプーン。実験では「重さ」を基準にすることが多いのですが、少ししか使わない材料であれば、体積で換算しても、正確に計量しやすく手軽なので、使用しています

Part 1

写真に撮っても楽しい実験

1-1 おいしいトマトを見つける方法

鉄のかたまりを水に入れると沈みますが、木片は浮きます。では、水銀に鉄のかたまりを入れるとどうなるでしょう？　鉄がプカプカ浮かぶのです。水銀にも沈むものは「金」。同じ大きさの鉄と金だと、金の方が２倍以上も重いのです。

たとえば、こんな有名な話があります。

古代ギリシャの王様が、金のかたまりを金職人に渡して王冠を作らせました。しかし、金職人には「預かった金と同じ重さになるように、王冠に混ぜ物をしてごまかし、金を盗み取る」という噂があり、心配になった王様は、アルキメデスに「出来上がった王冠を壊さずに、純金かどうかを確かめる方法を探し出せ」と命じたのです。アルキメデスは風呂に入っているときにその答えを思いつき、「ユーレカ（わかったぞ）！」と叫びました。

何がわかったのでしょう？　やはり金が非常に重いことと関係しています。同じ重さなら、他の金属、たとえば、鉄や銀、鉛は金よりも大きくなります。そこで、アルキメデスはまず王冠と同じ重さの純金を用意して、水でいっぱいの水槽に沈めました。そうすると、純金の大きさの分だけ、水があふれます。その後、純金を取り出して今度は王冠を水槽に沈めました。王冠が純金でできていれば同じ大きさなので、水はあふれないはずです。でも混ぜ物をしていると純金よりも大きいので、水はあふれます。こうして王冠が純金製かどうかを確かめられたのです。

水に沈めることで、中身がわかるっておもしろいですよね！「比重」を利用して「おいしいトマト」と「そうでないトマト」を判別してみましょう。

トマトの見分け方

用意するもの

主な材料：ミニトマト（10個ほど）、砂糖（大さじ2ほど）

主な道具：透明な容器（容量500mL以上、高さのあるもの）

手順

1. 透明な容器に水を500mL入れる。
2. ミニトマトのヘタを取り除き、1の中に入れる〈ⓐ〉。浮いてきたトマトがあれば取り出す。
3. 2に砂糖を大さじ1加え、よく混ぜる。浮いてきたトマトを取り出し、2で取り出したトマトとは別にしておく。
4. 3に砂糖大さじ1を加え、よく混ぜる。浮いてきたトマトを取り出し、他のトマトと別にしておく。
5. 水だけで浮いた2のトマト、砂糖大さじ1で浮いた3のトマト、砂糖大さじ2で浮いた4のトマト、というようにグループ分けをする〈ⓑ〉。どのグループのトマトが一番甘いか、食べ比べる。

＊各段階でしばらく置き、どのトマトも浮いてこなければ、少しずつ砂糖を追加しましょう。

a

b

甘いトマトが沈むワケ

何が水に浮き、何が水に沈むかは、比重によって決まります。比重とは、簡単に言うと「同じ体積の水と比べたときに、どれだけ重いか」を表したものです。水の比重は1.0。比重が1.0よりも大きいものは水に沈み、1.0より小さいものは水に浮かびます。鉄の比重は7.9なので水に沈み、木片の比重は0.4〜0.6なので水に浮きます。

何かを水でない液体に浮かべるときも、その比重が液体の比重よりも大きければ沈むし、小さければ浮きます。水銀の比重は13.5なので、鉄は水銀に浮きます。でも金の比重は19.3なので、水銀に沈みます。

さて、トマトや果物が甘いのは、ショ糖や果糖、ブドウ糖といった、甘みを持つ成分がたくさん含まれているからです。甘み成分が多いトマトほど、比重は大きくなります。

砂糖水は砂糖が溶けている分、水よりも比重が大きくなります。真水では沈んでいたのに、砂糖を入れると浮かんできたトマトがあったと思います。これは「そのトマトの比重が水よりも大きかったけれど、砂糖水よりは小さかったから」です。後で取り出したグループのトマトは水に浮かんだトマトよりも比重が大きい、つまり、中に含まれる甘味成分の量が多いので、甘いのです。

トマトや果物の甘味成分の量は「糖度」として表されます。1gのショ糖が溶けている100gの水溶液は、糖度が1度です。一般的なトマトの糖度は4〜5度ですが、フルーツトマトは糖度が8度以上！　ちなみにフルーツトマトは品種名ではなく、「普通のトマトの中にある水分を、極力抑えて完熟させ、糖度を高めたトマトの総称」だそうです。

5分以内

1-2 ブドウジュースで色変わり実験

画用紙をブドウジュースに浸して乾かすと、薄紫色になります。この紙に水で絵を描くと、濡れるだけで変化はないのですが、重曹を溶かした水、あるいはクエン酸を溶かした水、お酢で絵を描くと、色が変わります。

この場合、水では色が変わらず、水と同じように透明な重曹水やクエン酸水では色が変わるわけですから、子ども向けのマジックのネタになります。

もっと簡単に、色変わりマジックをするのなら、ブドウジュースの実験がお勧めです。色が変わるうえに泡も出るので、子ども受けは抜群。話し方など演出をちょっと工夫すれば、大人の観客も巻き込んで楽しめるでしょう。

ブドウジュースの色を変える方法

用意するもの

主な材料： ブドウジュース（60mLほど）、重曹（小さじ1ほど）、クエン酸（小さじ½ほど）

主な道具： グラス（小さめのもの3個）

手順

1. グラス3個にブドウジュースを大さじ2ずつ入れ、水を大さじ4ずつ加える。
2. 1のうち2個に、重曹を小さじ½ずつ加え、変化を見る。
3. 2のうち1個に、クエン酸を小さじ½加え、変化を見る。

＊重層やクエン酸を加えたら、グラスの中身が均一になるように混ぜるとよいでしょう。

赤紫色が青紫色に変わるワケ

ブドウジュースは、pH3程度の酸性です。重曹（炭酸水素ナトリウム）を入れると、アルカリ性になり、薄い赤紫色だったブドウジュースの色が青紫色に変わります。ブドウには「アントシアニン」という色素が含まれ、酸性では赤紫色、中性では紫色、アルカリ性では青紫色に変化します（p.140参照）。

重曹が加わり、青紫色になったブドウジュースのグラスにクエン酸を入れると、しゅわしゅわと泡が立ち、ブドウジュースの色が再び薄い赤紫色に変わります。炭酸水素ナトリウムとクエン酸が反応して、炭酸ガス（二酸化炭素）が発生するので、泡が立つのです。同時に、アルカリ性から、酸性に変わるので、色も変わるのです。そしてここに重曹を加えると、また泡が出て、色が変わります。

泡立ったあとのブドウジュースを少しなめてみると、ちょっとしょっぱいです。これは、クエン酸と炭酸水素ナトリウムが反応して、クエン酸ナトリウムができたからです。

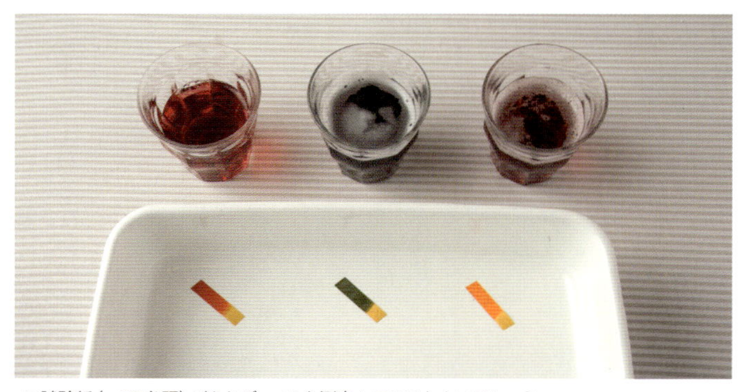

pH試験紙（p.56参照）があれば、pHを測定してみるとよいでしょう

身近な食品のpH目安

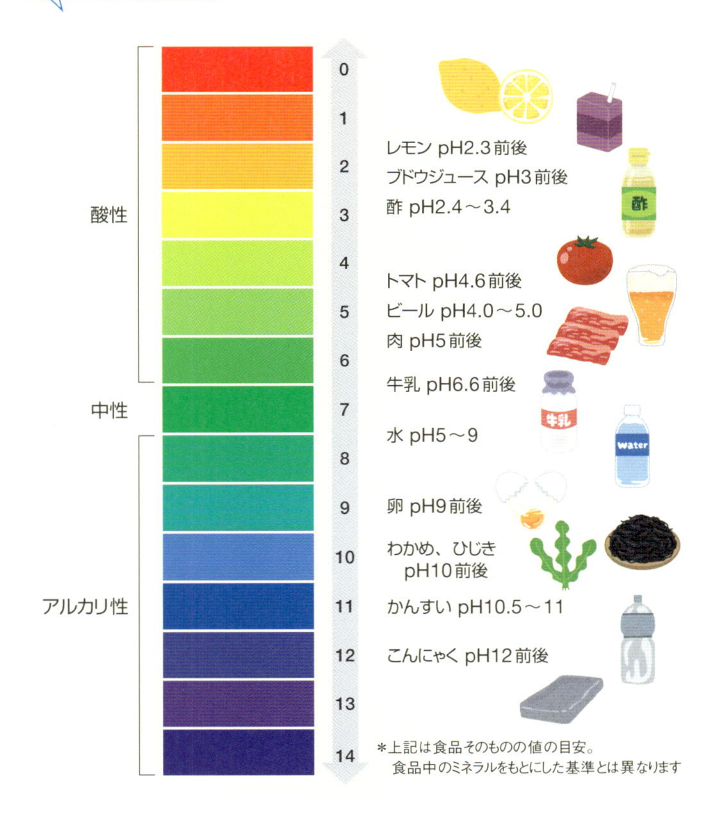

＊上記は食品そのものの値の目安。
食品中のミネラルをもとにした基準とは異なります

ブドウジュースは、海外品種の他、日本の「巨峰」などでも作られています。この赤紫色の皮にアントシアニンが含まれているため、本実験では、皮ごとしぼった紫色のブドウジュースを使います（白ブドウジュースでは代用できません）

コラム　赤ワインと白ワインの違い

ワインはブドウを発酵させて造ります。ブドウに酵母を加えると、ブドウの中の糖分がアルコールと炭酸ガスに分解されます（アルコール発酵）。糖分が残った状態で発酵を止めると甘口に、糖分を残さず発酵させると辛口になります。

ワインに赤いものと白いものがあるのは、使うブドウの品種が違うためでもありますが、果皮を取るかどうかが大きく影響しています。赤ワインは、果皮をつけたまま発酵させますが、白ワインは果汁のみを発酵させます。ブドウの果皮に含まれるアントシアニンの色が赤ワインの色なので、果汁のみを発酵させる白ワインは赤くないのです。

赤ワインの場合、アルコール発酵ののち、ブドウの中にあったリンゴ酸を乳酸菌によって乳酸と炭酸ガスに分解する工程（マロラクティック発酵）を経て、熟成させます。酸味の強いリンゴ酸が乳酸に変わるので、酸味がまろやかになります。

なお、リンゴ酸は微生物の餌となりやすいので、熟成中にリンゴ酸がたくさんあると腐敗してしまいます。リンゴ酸をなくしておくことで、赤ワインの長期熟成が可能になります。

赤ワインには、渋みがあります。これは、ブドウの果皮や種子に含まれるタンニンによるものです。長期熟成中にタンニンはアントシアニンなどの物質と結合し、澱（おり）となって沈殿します。熟成したワインが渋みの少ない「まろやかな味」になるのはこのためです。

赤ワインと白ワインには、見た目以上にいろいろと違いがあるのですね。

高価なワインと言えば「貴腐ワイン」。貴腐ブドウから造られます。完熟したブドウに貴腐菌（ボトリティス・シネレア）が感染すると、果皮のワックス成分が溶け、果実の中の水分が蒸発して干しブドウのようになって、中の糖度は非常に高まり、独特の芳香を持つようになります。これが貴腐ブドウですが、完熟する前に貴腐菌に感染するとブドウは灰色かび病となり、腐ってしまうのです。貴腐ブドウを造るのが難しいため、貴腐ワインはとても高価なのです。

1-3 キラキラの「ロックキャンディ」

ダイヤモンドは炭素の結晶、ルビーやサファイヤは酸化アルミニウムの結晶。小さな物質が、長い長い時間をかけて、ゆっくりと大きな結晶になったものが、宝石の原石です。その輝きと硬さは、小さな物質の単位がきっちりと結合して並んでいるからこそ生まれます。

さてこの写真の食べ物は、見た目もキラキラとして美しい、砂糖の結晶です。ロックキャンディやシュガースティックなどと呼ばれます。作り方はとても簡単。ただし、出来上がりまでに期間を要します。夏休みの自由研究にしたいときなどには注意しましょう。

ロックキャンディの作り方

用意するもの

主な材料：砂糖（250gと少量）、食用色素（好みのもの微量）

主な道具：鍋、耐熱グラス（容量150mLほどのもの3個ほど）、キャンディ用スティック（6本ほど）、洗濯ばさみ

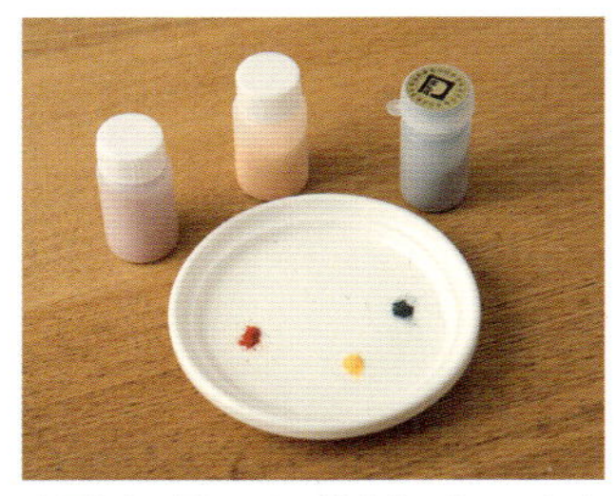

食用色素の例。これは粉末状のものですが、液体状のものも使用できます

洗濯ばさみでキャンディ用スティックをはさみ、道具の位置関係（下記手順5参照）を把握しておくとスムーズ

手順

1. 鍋に砂糖を250g入れ、水を100mL加える。火にかけてよく混ぜ、砂糖がすべて溶けたら火を止める（沸騰させなくてよい）。食用色素を加えて混ぜる（複数色のロックキャンディを作りたい場合、砂糖が溶けた液を分けてそれぞれに色をつける）。
2. 耐熱グラスに1を入れ〈ⓐ〉、温度が下がって透明になる（にごりが減る）まで待つ〈ⓑ〉。
3. キャンディ用スティックの先を2の液にいったん浸し、取り出す。
4. 3のスティックの先に砂糖を少量まぶし〈ⓒ〉、砂糖が固まるまで待つ。
5. 4のスティックが2の液につかるよう、グラスの底に当たらな

いよう、洗濯ばさみで固定する〈d〉。あまり動かさないようにして1〜2週間置く。

6. 取り出して乾燥させる〈e〉。乾いたらジッパー付きポリ袋などに入れておくと、湿気にくい。

＊スティックの先につけた砂糖が溶けてしまったら、再度砂糖をまぶして、グラスの液につけましょう。砂糖がついていないと非常に失敗しやすいので、注意が必要です。

a

b

c

d

e

キラキラの結晶になるワケ

マグカップに入れた熱々のコーヒー。200mL入っていたとすると、どれくらいの砂糖が溶けると思いますか?

ティースプーンで10杯？　これは甘すぎますよね。でも、もっと溶けます。最終的には、マグカップ２杯分の砂糖を入れてもまだ溶けて、見た目よりずっと重い、「あま〜い」コーヒーの出来上がりです。

砂糖は冷たい水にも溶けますが、温度が高いほど、よく溶けます。20℃の水100mLに溶ける砂糖の量は203.9 gですが、60℃のお湯100mLには287.3g溶け、100℃のお湯100mLには485.2gも溶けるのです！

温度が高いとき、ほとんどの物質は自由に動くことができるのですが、温度が低くなると同じものが集まって固まり、くっつきます。熱い砂糖水をしばらく放置すると、温度が低くなって、溶けきれなくなった砂糖が、再び結晶化していきます。

100℃のお湯に砂糖をめいっぱい溶かして作った砂糖水は、温度が下がると、シャリシャリの砂糖のかたまりになります。溶けきれなくなった砂糖が、再び結晶になるのですね。再結晶のスピードがゆっくりだと固くて大きな結晶ができ、速いと小さな結晶ができます。

なお、結晶化するときには、くっつく中心になる「核」が必要です。そのため、ロックキャンディを作るときには、スティックに「核」となる砂糖をつけることが必須なのです。温度が低下したあとも、水分の蒸発は続きます。ゆっくりと水分の蒸発が続くので、砂糖は大きな結晶になることができます。

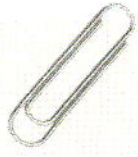

コラム｜上白糖はなぜ固まるの？

普段使っている上白糖が固まってしまい、崩すのに苦労したことはありませんか？　でも、グラニュー糖はサラサラのままです。これはなぜでしょう？

グラニュー糖は、ほぼ100％がショ糖です。一方、上白糖はショ糖が98％。上白糖は、ショ糖の小さな結晶の上に、転化糖というシロップをふりかけたものです。そのため上白糖は、しっとりしています。

ショ糖は、ブドウ糖と果糖が結合したもので、二糖類と呼ばれます。このショ糖を加水分解してできたのが転化糖なので、転化糖には単糖類であるブドウ糖と果糖が含まれています。

二糖類だけのグラニュー糖と、単糖類を含んだ上白糖では、まわりから水分を奪う「吸湿性」が異なります。ショ糖は吸湿性が低いのですが、ブドウ糖と果糖は吸湿性が高く、湿度が高いところに置いておくと、まわりの水分をどんどん吸い込みます。その水分によって、ブドウ糖、果糖、そしてショ糖がほんの少し溶けます。そして水分がなくなると、再結晶化し、固まってしまうのです。上白糖を固まらせないためには、ぴっちりとフタが閉まる保存容器に入れ、まわりの水分を吸わせないようにすることが大切です。

もうひとつ、グラニュー糖と上白糖で異なるのは甘みです。ブドウ糖も果糖も甘いのですが、甘さがショ糖とはちょっと異なります。ショ糖の甘さを1とすると、果糖は1.2～1.5、ブドウ糖は0.6～0.7の甘さです。ほぼショ糖のみのグラニュー糖よりも、ブドウ糖と果糖がほんの少し混じった上白糖の方が、甘みを強く感じます。

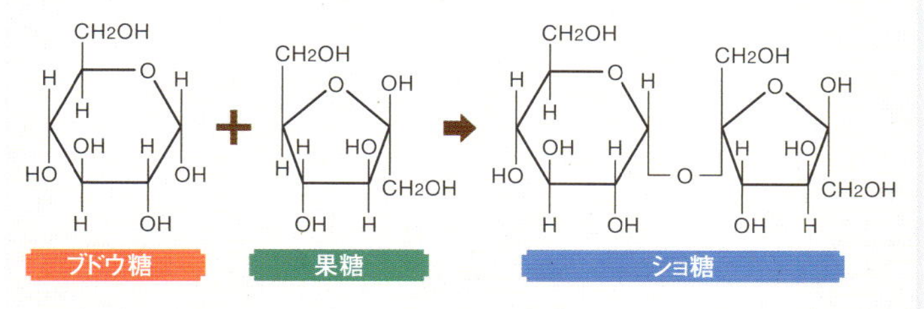

約
1週間

1-4 水晶のような半生菓子「琥珀糖」

和菓子には季節を表す、美しいものが多いですね。日本には四季があるので、季節にあわせた和菓子がありますが、世界的に見ると珍しいことのようです。

夏の茶席などで愛される琥珀糖(こはく)は、宝石の琥珀に似ていることからその名がついた、半生菓子です。砂糖と寒天を原料とし、かつてはクチナシ粉で色をつけたので黄色だったのですが、現在は食用色素などでいろいろな色がつけられています。

「食べられる宝石」とも言われる琥珀糖。見た目がとてもきれいなうえ、材料も少なく、作り方も簡単です。ほとんど失敗することはないはずなので、ぜひチャレンジしてみてくださいね。

琥珀糖の作り方

用意するもの

主な材料：粉寒天（4g）、砂糖（250g）、食用色素（好みのものを微量）

主な道具：鍋、バット、オーブンシート、使い捨て手袋

寒天には主に糸状、棒状、粉末状の３種類があり、粉末が扱いはラク。ただ、ダマになりやすいので、しっかり煮溶かす必要があります（下記手順１参照）

手順

1. 鍋に水を160mL入れ、粉寒天を加える。中火にかけ、沸騰させる。そのまま２分ほど加熱し、砂糖を加えてよく混ぜ、火を止める。
2. バットにオーブンシートを敷き、1を流し入れる。
3. 食用色素が粉状であれば少量の水で溶き〈a〉、2にたらして〈b〉、混ぜる（色ごとに混ぜてもよい〈c〉）。
4. 固まるまで１時間ほど置く。
5. 使い捨て手袋をして、4のオーブンシートを外す。バラバラにちぎる〈d〉。
6. １週間ほど置き、乾燥させる。外側が乾いたら出来上がり〈e〉。

＊ベタベタしますし、衛生的な面からも、使い捨て手袋の使用をお勧めします。
＊食用色素の量は少ない方が、完成したときにきれいです。

a
b
c
d
e

寒天で固まるワケ

寒天の材料は、テングサ、オゴノリといった海藻です。しかし、日本で一番の寒天の生産地は海のない長野県です。なぜでしょう？　昔の寒天は、海藻を煮溶かし、箱に入れて固めたあと、冷たい外気に当てて、凍結乾燥をさせて作られていました。冬に天気のいい日が続き、夜間の気温が零下となる長野県は寒天の生産に適していたのですね。

寒天の主成分は、海藻の中にある細胞と細胞の間を埋めている「粘質多糖類」。この粘質多糖類は、アガロースやアガロペクチンといった糖類の長くつながった鎖がからまりあって、二重らせん構造になったものです。粘着多糖類は、ヒトの体内では消化・吸収できません。そのため、寒天は「カロリーゼロ」なのです。

加熱すると、二重らせんがほどけ、1本1本バラバラになります。冷却すると、この鎖が三次元構造となり、その中に水分などを閉じ込めます。

寒天は固まる温度が33～45℃、溶ける温度は85～93℃です。タンパク質ではなく多糖類なので、沸騰しても変性しません。コラーゲンは沸騰させてはダメですが、寒天は沸騰後、2分ほど加熱して、二重らせんをほどく必要があります。

寒天は、食品だけではなく、実験材料としてもよく使われています。菌の培養に使うのは「寒天培地」、DNAの分析に使うのは「寒天アガロース」です。さまざまな栄養分を取り込んで固まり、常温では溶けないという寒天があったから、分子生物学はここまで発展し、多くの医薬品の開発も可能になったのです。

糸寒天や棒寒天、一部の粉寒天の原料として使われるテングサ。水にさらして乾燥させることで、赤紫の色が抜け、白色に近くなります

寒天の冷却による変化（模式図）

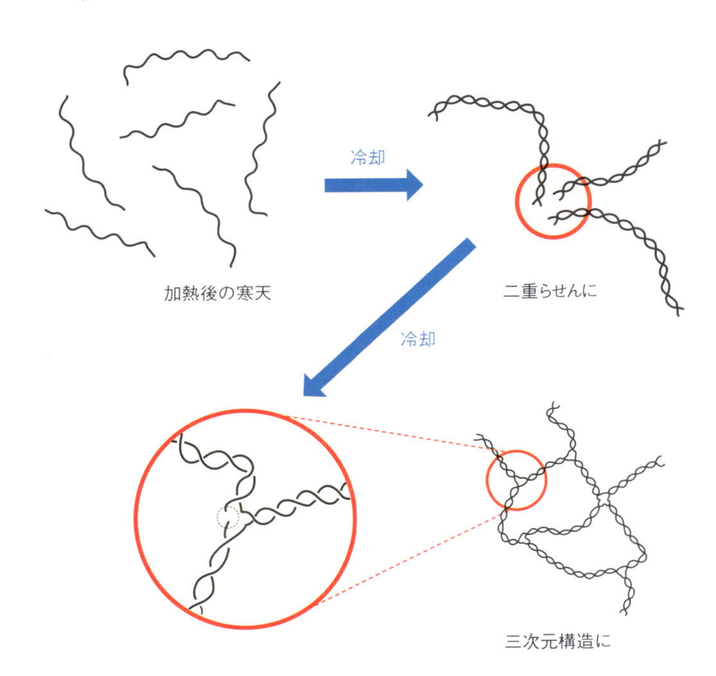

1-5 自分好みのグミを作ろう

約3時間

グミという名前は、ドイツ語でゴムを意味する「Gummi」がもとになっています。1920年、子どもたちのそしゃく力を向上させたいと考えたハンス・リーゲル氏によって、「そしゃくして食べるお菓子」として作られ始めたのが、ハリボーのグミベアだそうです。

グミの原料はゼラチンです。日本では、「コラーゲン配合グミ」などとして女性向けに売られることも増えてきました。でもゼラチンはもともとコラーゲンから作られています。グミはすべて「コラーゲン配合」なのです。

コラーゲンを食べると、本当に肌によいのでしょうか？　コラーゲンはとても大きなタンパク質なので、ヒトはコラーゲンそのものを消化することはできません。胃、十二指腸、そして小腸を通る間に分解され、アミノ酸になったものを消化しています。コラーゲンを摂ることは「タンパク質（アミノ酸）を摂取する」という点ではとてもいいのですが、「肌によい」とは言えなさそうです。

それはさておき、おいしくて食感が楽しいグミ。自分の好みの色や味のゼラチン液を作り、固まる過程を観察してみましょう。

グミの作り方

◆ 用意するもの

主な材料： 粉ゼラチン（5g）、ジャム（好みのもの大さじ2）、砂糖（小さじ1）

主な道具： 耐熱容器（2個）、鍋など湯せんができる道具、耐熱の型、電子レンジ

粉ゼラチン。少し黄みがかっています

◆ 手順

1. 耐熱容器に水を大さじ1入れ、粉ゼラチンを加えてふやかす。
2. 別の耐熱容器にジャムと砂糖を入れてよく混ぜ、600Wの電子レンジで30秒加熱する。
3. 湯せんで1のゼラチンを溶かし〈a〉、2に加えてよく混ぜる。
4. 耐熱の型に流し入れ〈b〉、冷蔵庫で冷やし固める。型を外す。

＊ジャムのみで作ると、甘みが足りず、グミらしい仕上がりにならないため、砂糖を加えています。ジャムではなく、ジュースを使っても作れますが、そのときは砂糖の量を増やしましょう。

a

b

ゼラチンで固まるワケ

ゼラチンは、動物の骨や皮に含まれている「コラーゲン」からできています。コラーゲンは、アミノ酸がずらっとつながった長い鎖状の「ポリペプチド鎖」が3本、より合わさったものです。この縄状のコラーゲンは頑丈で、なかなか水に溶けません。

でも、コラーゲンを長時間加熱すると、縄がほぐれて、1本ずつの長い鎖となり、水に溶けるようになります。これがゼラチンです。バラバラになったポリペプチド鎖は、お互いにからまりあって網目構造となり、その中に水などを取り込みます。液体の温度が高い間は、それぞれのポリペプチド鎖がからまりながらも動き回ることができるのですが、温度が下がると動けなくなります。ゼラチンが入った液を冷やすと固まるのはこのためです。

コラーゲンが豊富な肉や魚を煮たあとで冷蔵庫に入れておくと、ゼリーのような「煮凝り（にこごり）」ができますね。煮凝りは温めると溶けますし、ゼリーも温めると溶けます。これはポリペプチド鎖が動けるようになったからです。このように、ゼリーや煮凝りは、固まったり、溶けたりを繰り返すことができます。

ただ、加熱しすぎると構造が変わり、固まらなくなります。ゼラチン液は沸騰させずに使いましょう。

コラーゲンとゼラチンの変化（模式図）

1-6 不思議な「レインドロップケーキ」

約3時間

富士山ろくの和菓子店の名物「水信玄餅」。地元の名水を寒天で固めた、美しい一品です。また、アメリカでは、「レインドロップケーキ」という名前で、見た目のよく似たデザートが人気のようです。材料が少ないだけに、このお菓子の味は「水」によってかなり決まります。

水の味には、ミネラル分の含有量が影響します。主なミネラル分はカルシウムとマグネシウム。水1000mL中に溶けているカルシウムとマグネシウムの量が120mg以上だと「硬水」、120mgより少ない水は「軟水」とされます。山が多くて、傾斜が急な地域

が多い日本の水は、地層に浸透する時間が短いため、「軟水」がほとんどです。一方、ヨーロッパや北米などは石灰岩の地層を水がゆっくりと染み込んでいくため、硬水が多くなります。

さて、このように水をふるふるに固めるお菓子、ゼラチンや寒天を使って家庭で作ると透明にならず、夏場は短時間で崩れたり、硬くなりすぎたりしてしまいます。できるだけ水そのものを楽しめるよう、なめらか、かつ溶けにくいように作ってみましょう。

レインドロップケーキの作り方

◆ 用意するもの

主な材料：アガー（10g）

主な道具：鍋、耐熱の型

製菓用品店だけでなく、輸入食材店や一部のスーパーマーケットで見かけるようになったアガー

◆ 手順

1. 鍋に水を550mL入れ、アガーを加えてよく混ぜる。
2. 弱火にかけて沸騰させる。そのまま1分加熱し、火を止める。
3. 耐熱の型に流し入れ〈a〉、冷蔵庫で冷やし固める。型を外す。

＊実験後、好みできな粉や黒蜜を添えても〈b〉。
＊型は好みの耐熱容器でOK。球形の製氷皿〈c〉などを使っても楽しいでしょう〈d〉。アガー液が製氷皿の耐熱温度まで冷めたらすぐ、流し入れるようにしましょう。

a

b

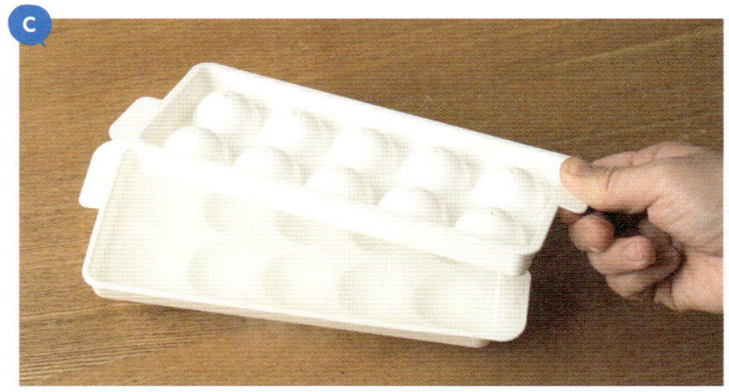
c

d

アガーを使うワケ

ゼラチンで固めたゼリーは、他に色のつく材料が入っていなければ黄みがかって見え、25℃以上になると溶けてしまいます。寒天は、通常の製法では70℃になるまで溶けませんが、砂糖が少ないと白濁し、食感がゼリーとは異なります。

そこで「ゼリーのような弾力があり、寒天のように室温が高くても溶けず、両者より透明度が高い」ということで、業務用のお菓子に非常によく使われるようになったのが「アガー」です。寒天と同じように、海藻からできていますが、用いる海藻の種類、そして含まれる成分が違います。

寒天は、テングサ、オゴノリなどが原料で、その中の「アガロース」によって固まります。アガーはツノマタ、スギノリなどが原料で、「カラギーナン」によって固まります。アガーがカラギーナンとも呼ばれるのはこのためです。

ゼラチン、寒天、アガーの違い

	ゼラチン
主原料	動物の骨や皮
主成分	タンパク質
固まったときの状態	ごく薄い黄色、 口内で溶け、弾力あり
粉末を溶かす温度	50～60℃
溶液が固まる温度	20℃以下
凝固後の溶ける温度	25℃

アガロースとカラギーナンはよく似ていて、加熱すると分子レベルでらせん状構造がほどけ、冷却すると再びからまって三次元構造で固まる（p.34参照）という点では同じです。しかし、カラギーナンには硫酸基が多く含まれていて、寒天とは異なる性質を持っています。カラギーナンの名前のもととなったのは、アイルランドのカラギーン地方。この地方では昔から、海岸に打ち上げられたツノマタをスープの具として利用していたそうです。現在はアガー（カラギーナン）の材料となる海藻の8割がフィリピンで養殖されています。

街のお店で常温のまま売られているゼリーは、ゼラチンではなく、アガーで固められているものがほとんどです。アガーが手に入りやすくなったため、このようなお菓子を商品化しやすくなったのですね。

寒天	アガー
テングサ、オゴノリなどの海藻	ツノマタ、スギノリなどの海藻
炭水化物（食物繊維）	炭水化物（食物繊維）
白濁、 口内で溶けず、硬め	無色透明、 口内で溶けず、弾力あり
90℃以上	90℃以上
40～50℃	30～40℃
70℃	60℃

1-7 マシュマロの「ふわふわ」を追求！

約3時間

マシュマロは、その語感もかわいらしいですね。この名前は、ウスベニタチアオイの英語名marsh mallow（沼地の葵）から来ています。原産地のヨーロッパ・中央アジアでは、喘息等に効く薬用植物として使われていたようです。

ウスベニタチアオイの根はデンプンが多く、根から出る液には粘りがありました。この液と砂糖から作られていたお菓子がマシュマロだったというわけです。

私たちのよく知っているマシュマロとは、ずいぶんと違うお菓子だったことでしょう。現在はゼラチンなどで作られますが、同じくゼラチンを使ったお菓子、たとえば前述のグミとはまったく食感が異なります。

それはたっぷり「空気」を含ませてあるからです。具体的には、「卵の白身、つまり卵白を泡立てて（メレンゲにして）、その泡立ちを保つようにゼラチンで固める」のがよく知られた製法でしょう。ただそもそも、しっかりと泡立てた直後の卵白は、入った容器を傾けてもこぼれないぐらい、硬い泡の状態になっています。それはなぜでしょうか。

マシュマロの作り方

◆用意するもの

主な材料：卵白（1個分）、粉ゼラチン（10g）、砂糖（100g）、レモン汁（大さじ1）、コーンスターチ（適量）

主な道具：耐熱容器、耐熱ボウル、電動泡立て器、鍋など湯せんができる道具、バット、包丁とまな板もしくは抜き型

◆手順

1. 耐熱容器に水を80mL入れ、粉ゼラチンを加えてふやかす〈a〉。
2. 耐熱ボウルに卵白を入れ、電動泡立て器でよく泡立てる。
3. 2に砂糖を半量加えて泡立て、残り半量を加えて、ツノが立つまで泡立てる〈b〉。
4. 湯せんで1のゼラチンを溶かし〈c〉、レモン汁を加えて混ぜる。
5. 3を混ぜながら〈d〉、4を少しずつ加える。
6. バットにコーンスターチをふり、その上に5を流し入れる。冷蔵庫で冷やし固める〈e〉。
7. バットから外す〈f〉。食べやすい大きさに包丁で切るか、抜き型で抜く〈g〉。

*卵白のツノが立ったあとも泡立て続けると、ボソボソに離水（タンパク質と水が分離）した状態になる〈h〉ので注意。
*卵白にゼラチンを加えると、固まり始めます。手早くバットに入れましょう。

a
b
c
d
e
f
g
h

卵白が泡立つワケ

水はいくらかき混ぜても、泡が立ちません。でも石けんを加えると、すぐに泡立ちます。なぜでしょう？

水の分子は水分子同士でくっつきあう力が強く、中に空気が入ることはできません。石けんはその力を弱めて、中に空気を入れられるようにするのです。

卵白の中にはタンパク質が折りたたまれた状態で入っています。強くかき混ぜられると、折りたたまれたタンパク質がほどけます。また、卵白の中には石けんと同じような働きをする成分があります。そのため、卵白中の水分が泡立ちます。

石けんの泡はすぐに壊れるのに対し、卵白の泡はすぐには壊れません。これは、卵白の中のタンパク質が泡の表面をネット（網）のようにおおい、丈夫な膜を作るからです。

タンパク質はアミノ酸が長く連なったものです。アミノ酸の中には油とくっつきやすいものがたくさんあります。そのため油があると、タンパク質が膜を作ることができなくなり、泡がすぐに壊れてしまいます。そのため卵白を泡立てるときは、油分は禁物です。卵黄も脂質が多いので、入らないように注意しましょう。また、プラスチック製のボウルも油と同じような働きをします。そのため、卵白を泡立てるときには、ステンレス製かガラス製のボウルを使いましょう。

砂糖は、タンパク質をほどけにくくしたり、ネット状になる働きを邪魔したりする働きがあります。そのため、卵白がしっかり泡立ってから砂糖を加えましょう。卵白が泡立ったあとに砂糖を加えると、タンパク質のまわりを砂糖がおおい、泡が壊れにくくなります。

1-8 ゆで卵の殻をむいても白くない!?

約30分

　さまざまな調理方法が掲載されているレシピ本やレシピサイトはとても便利ですね。

　江戸時代にも料理本がありました。1795（寛政7）年に刊行された器土堂主人著『万宝料理秘密箱』には、鱧（はも）、蒲鉾（かまぼこ）、海老（えび）などの料理が載っていて、「卵の部」には103種の卵料理が紹介されていたそうです。

　この中にある「黄身返し卵」。新しい卵に少しだけ穴をあけ、ぬかみそにつけたあと、洗ってゆでると、「中の黄身が 外へなり白身が 中へ入ル」と書かれていますが、再現困難のようです。確かにこの方法では、黄身返しになる理屈がわかりません。

　遠心力を使って、科学的に黄身返し卵を作ってみましょう。

黄身返し玉子の作り方

用意するもの

主な材料： 卵（1個）、塩（大さじ1）

主な道具： 懐中電灯、ストッキング、ビニール袋、ビニタイ（パンなどの袋を留めている針金入りのひも1～2本）、鍋、菜箸

手順

1. 洗った卵の下から懐中電灯で光を当てる。明るさや光の通り方を確認する〈ⓐ〉。
2. ストッキングの上部を切って細長い袋状にする（足の部分、片方を使う）。真ん中をきつく縛るか、ビニタイでしっかり縛る。
3. 卵をビニール袋に入れる。
4. 2に3を入れる。
5. 卵が縦向きに（ストッキングと垂直の向きに）固定されるよう、ビニタイで縛る〈ⓑ〉。
6. 両端を両手でしっかり持ち、ぶんぶんゴマのように回転させる。
7. 卵を取り出し、懐中電灯で光を当ててみて、暗くなっているか確認する〈ⓒ〉。暗くなっていなかったら、再度固定して回転させる。卵を取り出す。
8. 鍋に卵がしっかりつかるぐらいの水を入れ、塩を加えて火にかける。沸騰したら7の卵を入れ、菜箸などで転がしながらゆでる〈ⓓ〉。火を止めて、冷水に浸す。

＊塩を入れてゆでると、殻が割れてしまった場合に、出てきた卵が固まりやすく、卵液の流出を防ぐことができます。

a

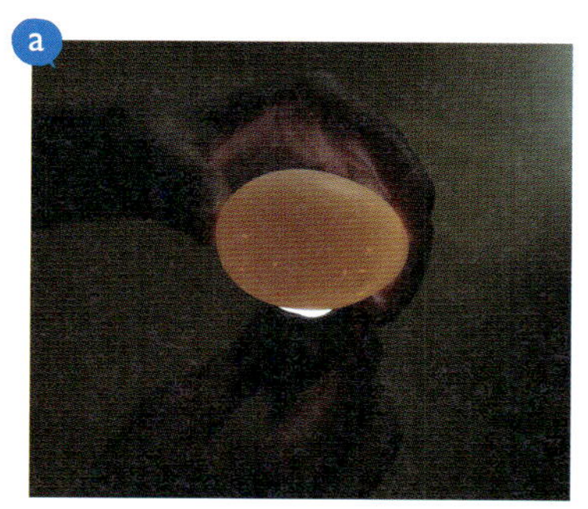

b

c

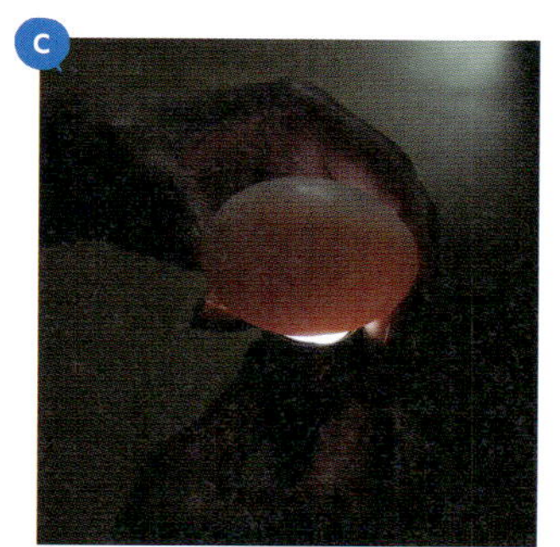

d

外側が黄色になるワケ

白身には、水っぽい「水様卵白」部分と、粘度が高くねっとりとした「濃厚卵白」部分があります。濃厚卵白は袋状になっていて、その外側に外水様卵白、内側に内水様卵白があります。卵を割ったときに、こんもりと盛り上がる部分が濃厚卵白です。卵が古くなると、水様卵白から濃厚卵白に水分が移動していき、粘度が低くなっていきます。そのため古い卵は、白身部分の盛り上がりが小さくなるのです。

卵は激しくふられると、卵黄を包んでいる卵黄膜が破れます。さらにふり続けられると、卵黄と水様卵白が混ざりあいますが、粘度の高い濃厚卵白とは混ざりません。

ぐるぐると高速で回転させることで、卵に遠心力が働きます。「卵黄＋水様卵白」の方が濃厚卵白よりも重いので、「卵黄＋水様卵白」が外側に来て、濃厚卵白が内側に入ります。

この状態のままゆでて固めていきますが、濃厚卵白の部分が動きやすいので、加熱開始からしばらくは卵を転がした方がうまくいくでしょう。卵の中心軸にそって回転させるのがポイントです。

ただ、理論上は濃厚卵白が内側に入るはずなのですが、実際には、なかなかうまくいかず、卵の中身全体が均一になることもあります。ふり回している間に、殻に小さなヒビが生じ、ゆでると殻が割れる場合もあるでしょう。

いずれにせよ、通常の卵をゆでると、割れたときに出てくる卵は白いですが、今回のように作ると黄色になります。そして、黄身と白身の全部か一部が混ざっているため、味がゆで卵よりも卵焼きやスクランブルエッグに近くなっています。

新鮮な卵を割ると、卵黄、盛り上がった濃厚卵白、広がった水様卵白を確認できます

卵の構造（模式図）

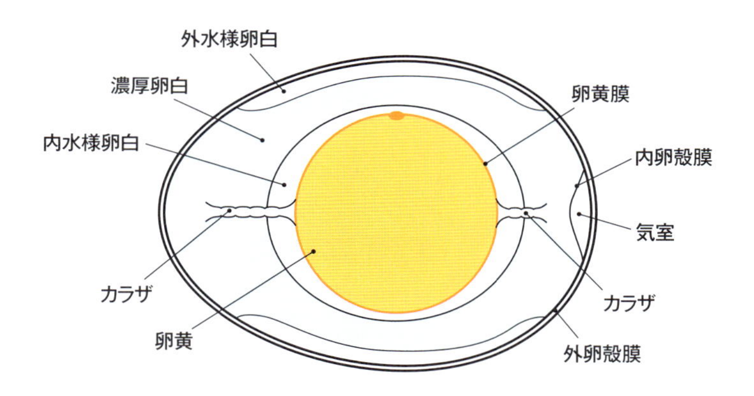

あると便利な道具②

pH試験紙があると、実験中に作った溶液について、酸性やアルカリ性の度合いを簡単に調べられて便利です。写真はロールタイプのもの（著者は1000円前後で購入）

Part 2

変化が快感！ びっくり実験

5分以内

2-1 1分でなめらかアイス

自家製アイスを作るとき、冷凍庫で固めようとすると、数時間はかかります。食感もじゃりじゃりしています。これは、冷凍庫に入れたものはゆっくりと冷えていくため、氷の結晶が大きくなってしまうからなのです。短い時間で凍らせると、氷の結晶は小さくなります。

なめらかなアイスを作るには、短時間で固めることが必要です。でも冷凍庫の温度を低くするのは難しいですね。でも、氷と塩とTシャツを使えば、1分で固まらせることができるのです！

牛乳のアイスではなく、シャーベットを食べたいときは、ジュースに砂糖を加えて、この方法で固まらせればOK。自分の好きなフレーバーで簡単に作ることができます。「冷たいものが欲しい」と思ったらすぐに取りかかれるのは、意外にうれしいものですよ。

アイスの作り方

用意するもの

主な材料：牛乳（100mL）、砂糖（10g）、バニラエッセンス（2～3滴）

主な道具：ボウル、ジッパー付きポリ袋（大きいものと小さいもの各1枚）、氷（細かく砕いてカップ2ほど）、食塩（大さじ4）、大人用Tシャツ

手順

1. ボウルに牛乳、砂糖、バニラエッセンスを入れ、砂糖が溶けるまでよく混ぜる。
2. 1をジッパー付きポリ袋（小さいもの）に入れ、空気が入らないように口を閉じる〈a〉。
3. ジッパー付きポリ袋（大きいもの）に氷と食塩を入れ〈b～c〉、よく混ぜる。
4. 3の中に2を入れ〈d〉、空気が入らないように口を閉じる。
5. Tシャツの中に4を入れる。
6. 裾部分と袖・襟元部分をぎゅっと握り、ぐるぐると1分間ふり回す〈e～g〉。

a

b

c

d

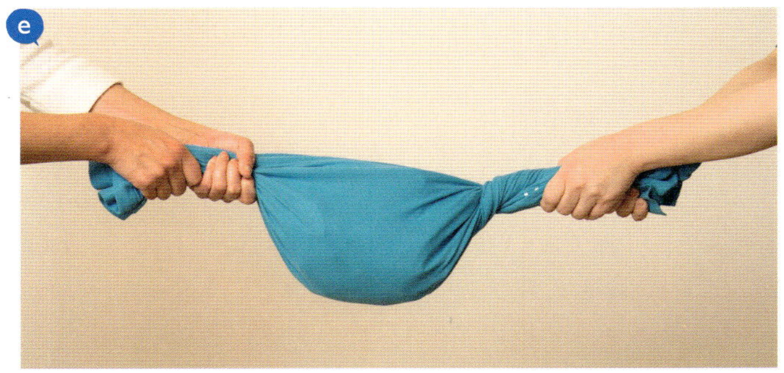
e

f

g

「食塩＋氷」で冷たくなるワケ

水は温度によって固体、液体、気体と状態が変わります。水だけでなく、たとえば鉄や金のような金属でも、3000℃では気体になりますし、酸素や窒素などは、－250℃で固体になります。

水は0℃で固体（氷）になり、100℃で気体（水蒸気）になりますね。このとき水分子にはどんなことが起きているのでしょうか？水分子には、分子が動き回る力と、分子同士がお互いにくっつきあう力（分子間力）のふたつが働いています。温度が低くなると、動き回る力よりもくっつきあう力の方が強くなり、液体、そして固体に変わっていきます。反対に温度が高くなると、分子が動き回る力が大きくなっていき、分子同士がくっついていられなくなり、あちこちに飛び出していく気体（水蒸気）になります。

本来なら0℃で固体になる水ですが、食塩など、じゃまなものがあると分子同士はくっつくことができず、0℃でも凍りません。じゃまものがあると飛び出しにくくなるので、食塩水は100℃でも沸騰しなくなります。

冷凍庫から出した氷の表面は少し溶けていて、「氷水」状態になっています。この氷水の温度は0℃。「氷は溶けるとき、まわりの温度を奪うので、温度が0℃よりも低くなって再度凍る」ということが起こっています。でもまわりに食塩があると、0℃より低くなっても凍ることができません。氷はどんどん溶けていき、温度もどんどん下がります。食塩を入れた氷は溶けやすく、温度も低くなるのです。このように固体になる温度が低くなる現象を「凝固点降下」と呼びます。

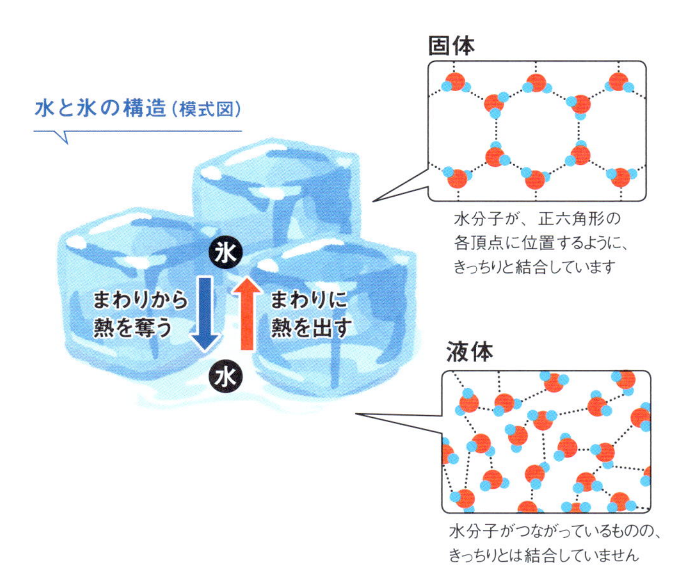
水と氷の構造（模式図）
固体
水分子が、正六角形の
各頂点に位置するように、
きっちりと結合しています
氷
まわりから
熱を奪う
まわりに
熱を出す
水
液体
水分子がつながっているものの、
きっちりとは結合していません

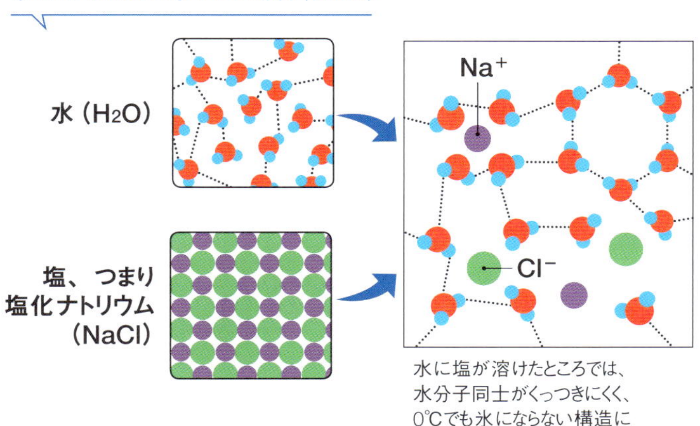
水に塩を加えて冷やした場合（模式図）
水（H2O）
塩、つまり
塩化ナトリウム
（NaCl）
Na+
Cl−
水に塩が溶けたところでは、
水分子同士がくっつきにくく、
0℃でも氷にならない構造に

2 冷凍庫より早く凍るワケ

温度が高いものは、温度が低いものより熱エネルギーが大きく、温度が高いものと低いものがぶつかると熱エネルギーが同じになるように移動し、温度が同じになります(熱伝導)。冬にお風呂に入ったときに体が温まり、お風呂がぬるくなるのは、お湯の水分子の熱エネルギーが、体に移動したためです。

さて、90℃のお風呂に入ることはできませんが、90℃のサウナには入ることができますね。これはなぜでしょう?

液体の水が気体の水蒸気になると体積が約1700倍になります。水分子は液体・固体状態ではぎゅっとくっつきあってあまり動きませんが、気体状態では激しく動き回ります。お風呂は液体の水で温まり、サウナは気体の水蒸気で温まっています。同じ温度ですが、体に当たる水分子の数は、まったく異なります。水分子と体との間の熱の移動が、サウナではあまり起こらないのです。

さて、液体の「アイスの素」が凍る理由は、まわりにある冷たい分子にぶつかって、熱エネルギーが移動するためです。冷凍庫は「冷たい気体」によりものを凍らせます。「食塩+氷」は「冷たい液体」です。同じ温度でも、気体と液体で熱伝導には大きな差があるため、「食塩+氷」に入れた方が、早く凍るのです。「冷凍庫で早く凍らせるための裏技」としてステンレス製のトレーに入れるのがいいとされるのは、熱の移動が起こりやすいからなのです。

水蒸気の状態における水分子(模式図)

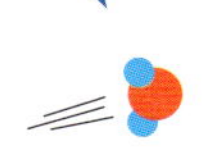

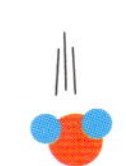

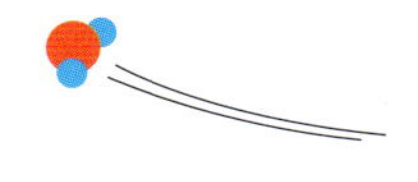

応用 1　ビールを冷やし忘れたときに

疲れて家に帰ってきて「さて冷えたビールを！」と思ったのに、ビールを冷やし忘れていた……。そんな悲劇を救うのも、凝固点降下や熱伝導です。バットに氷を敷き詰めるように入れ、その上に塩を多めにまきます。さらにその上にビール缶を置き、くるくると１分ほど回せば、キンキンに冷えたビールになります。

回さないで、氷と塩の上にただ放置すると、一部分だけが凍ってしまいます。その一部分とは、凍りやすい「水分」です。結果、ビールに入っているさまざまな成分が濃縮され、にごりとなって沈殿します。一度沈殿してしまうと、溶けても元には戻りません。おいしさのバランスが崩れて、まずいビールになってしまうのです。

応用２　一瞬でフローズンドリンク

2016年の夏、－4℃に冷却する特別な冷凍庫で冷やした炭酸飲料がコンビニエンスストアで販売され、話題になりました。この炭酸飲料がすごいのは、「一瞬でフローズンドリンク」になるところでした。

おうちでも「一瞬でフローズンドリンク」が作れます。手順は簡単。ペットボトルの炭酸飲料を冷凍庫に入れ、3時間から4時間たったら取り出して、コップに注ぐだけです。

長時間凍らせると、ペットボトルが破裂するので、十分な注意が必要です。しかし時間が短すぎると、うまく凍らず失敗する確率が高くなります。挑戦するような気持ちで実験するとよいでしょう。

フローズンドリンクになるワケ

水は0℃で凍りますが、砂糖などが溶けている清涼飲料水は、0℃では凍りません。冷凍庫に入れて、全体が－4℃程度になったころに刺激を与えると、清涼飲料水の水分が凍ります。砂糖などの成分は、濃い水溶液となっていて、凍りません。

刺激を与えると一瞬で凍る理由は、「過冷却」が起きているからです。熱エネルギーを奪われた水分子は、結晶化して、氷となります。結晶化するには、何らかの「きっかけ」が必要です。過冷却とは、「本来、結晶化しているはずのところまで冷えている分子が、きっかけがなく、結晶化できていない状態」を言います。ペットボトルをふったり、小さな氷を入れたりすると、それがきっかけとなって、一瞬で凍るのです。

冷凍庫でゆっくりと冷やした炭酸飲料の中の水は、過冷却状態となっています。そのため、キャップを開ける、あるいはコップに注ぐという刺激を与えると、一瞬で凍るのです。

この実験が失敗しやすい理由は、家庭の冷凍庫で－4℃にするのが難しいからです。炭酸飲料ではない飲料で「一瞬で凍る」実験もできますが、硬い氷になってしまい、すぐには飲めません。

キャップを開けたとき、あるいはコップに注いだとき、
あっという間にシャーベット状になれば成功

約1日

2-2 しゅわしゅわラムネを楽しもう

ラムネはもともとLemonade（レモネード）のことだったようです。しかし、現在「ラムネ」と言えば、飲料のラムネではなく、ラムネ菓子を思い浮かべる方も多いのではないでしょうか？

市販されているラムネ菓子の原料として、よく使われているのがブドウ糖です。ブドウ糖は溶けるときにまわりの熱を奪います。そのため、ラムネを食べると、口の中がスッとするのです。

ラムネは家庭でも作ることができます。今回はブドウ糖ではなく粉砂糖を使って、しゅわしゅわとした食感のラムネを作ってみましょう。

ラムネの作り方

用意するもの

主な材料：粉砂糖（25g）、クエン酸（耳かき１ほど）、重曹（耳かき１ほど）、食用色素（好みのもの微量）

主な道具：ボウル（ステンレスやガラスのもの）、型（小さな計量スプーンなどでもよい）、霧吹き

手順

1. ボウルに粉砂糖、クエン酸、食用色素を入れ、よくかき混ぜる。
2. 霧吹きを使い、水を1に少しずつかける。ぎゅっと押さえて固まりそうなぐらいになったら、水を加えるのを止める（水を加えすぎないように注意）。
3. 2に重曹を加えて混ぜる。
4. 型に入れて、ぎゅっと固める〈a〉。
5. １日室内に置き、乾燥させる。

＊食用色素はごく少量にしましょう。粉砂糖とクエン酸と混ぜたときは、色が見えないぐらいの量でも、水をかけると色が出ます。食用色素が多すぎると、食べたときに口の中の色が変わってしまいます。

解説　ひんやり、しゅわしゅわするワケ

レモンや梅干しなどが酸っぱいのは、クエン酸がたくさん含まれているからです。クエン酸は酸性の物質。そして重曹（炭酸水素ナトリウム）はアルカリ性の物質です。

クエン酸と炭酸水素ナトリウムが混ざると、化学反応が起こり、炭酸ガス（二酸化炭素）とクエン酸ナトリウムと水が生じます。ラムネを食べると、中に含まれるクエン酸と炭酸水素ナトリウムが口の中で溶けて混ざりあい、化学反応が起こります。このときに出る炭酸ガスがしゅわしゅわの正体です。

酸性の物質と炭酸水素ナトリウムが混ざりあい、二酸化炭素が生じる現象は、お菓子作りにも活用されています。ベーキングパウダーには酸性の物質と炭酸水素ナトリウムが含まれているので、水分があるところに入れると炭酸ガスを生じます。スポンジケーキがふわふわなのは、炭酸ガスによって、たくさんの気泡ができるからなのです。

このラムネは食べると、ひんやりとしていますが、ここにも科学的な理由があります。クエン酸と炭酸水素ナトリウムが、炭酸ガスとクエン酸ナトリウムになるときには、まわりから熱を奪っているのです（吸熱反応）。重曹とクエン酸をほんの少し、手のひらにのせて、水をたらしてみましょう。意外なほど冷たく感じるはずです。これは手のひらの熱が奪われているからなのです。

手のひらで試すときは微量にし、顔を近づけず、終わったらその手をよく洗いましょう。クエン酸は強い酸性なので、目に入ると危険です

約30分

2-3 ミカンの薄皮を「むかずにむく」

「冬はこたつでミカン」は、「昭和の話」になったのでしょうか？というのも、この30年で消費が大きく落ち込んでいる果物はミカンだそうで、１人あたりの消費量は1980年に比べて2015年には３分の１以下になっているとのこと。とはいえ、いまだに日本で一番食べられている果物はミカンです。

「ミカンは、白いスジが嫌だ」という著者の娘。確かにそういう人は多いかもしれません。白いスジの正体は「維管束」。植物は維管束を通して、根っこや葉っぱから水分や栄養分を運んでいます。白いスジがないと、ミカンは大きくなれないのです。

さて、このミカンのスジや薄皮がきれいに取り除かれ、簡単に食べられるようになっている缶詰を見ることがありますね。この外皮は皮むき機でむかれるのが一般的ですが、中の薄皮は違う方法で処理されています。缶詰工場とまったく同じ方法ではありませんが、同じ原理で「半自動皮むき」を試してみましょう。

ミカンの薄皮を取る方法

用意するもの

主な材料：ミカン（1～2個、ポンカンやイヨカン、オレンジなどでもよい）、重曹（大さじ1）

主な道具：鍋（ホーローやガラスのもの）、ザル、ボウル

手順

1. ミカンは外皮をむき、ひと房ずつに分ける〈a〉。
2. 鍋に水を200mL入れ、重曹を加えて火にかける。
3. 2が沸騰したら、1のミカンを入れる。
4. そっと混ぜて加熱し、薄皮が溶けたらすぐに火を止める〈b〉。
5. ミカンをザルにあげ、水を張ったボウルに入れる。その中でふり洗いをする。水を2回変えて、よく洗う。

a

b

薄皮が溶けてしまったワケ

動物には骨がありますね。骨があるので、動くことができますし、体の内臓を保つこともできています。では、植物はどうでしょう？　骨がないのになぜ、形を保っていられるのでしょう？

植物細胞と動物細胞の大きな違いは、「細胞壁で囲まれているか、いないか」です。植物細胞はひとつひとつが硬い細胞壁で囲まれていて、隣りあった細胞壁同士をペクチンなどの細胞間物質が接着させています。一方、動物細胞は細胞壁がなく、細胞同士がつながっても形を保てないので、「骨格」が必要になります。

細胞壁はセルロース、ペクチン、ヘミセルロースなどでできています。そして、細胞壁同士をペクチンやヘミセルロースがくっつけています。ペクチンやヘミセルロースはアルカリ性溶液で加熱されると、分解されてしまいます。

沸騰させた重曹水は、pH8程度のアルカリ性です。そのため、薄皮の中の細胞がバラバラになり、重曹水中に散らばってしまったのです。ミカンの小さな粒（砂じょう）も、ペクチンやヘミセルロースでくっついています。実験の最後に水で洗うのは、小さな粒までバラバラにさせないためでもあります。

植物細胞と細胞壁（模式図）

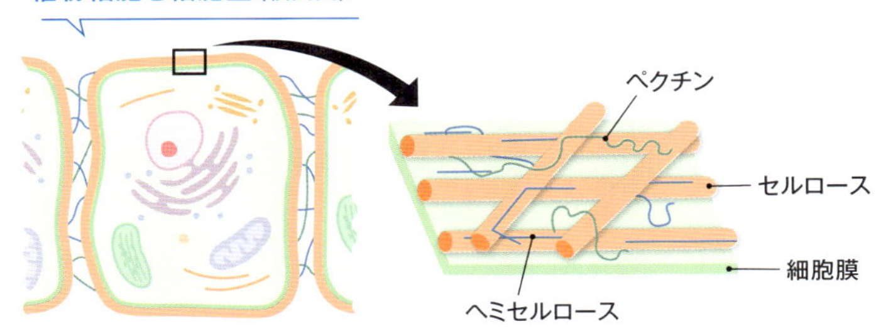

約半日

2-4 うどんの「あのコシ」は何から？

小麦は、高温の乾燥した気候で育ちやすく、地中海沿岸や北アフリカ、アメリカ大陸などで栽培されています。日本でも、弥生時代には小麦が栽培されていたようですが、雨の多い日本では、小麦を育てるのが難しく、水稲の方が育てやすかったため、米が主食になったようです。

小麦はそのままでは食べることができません。粉状にしてから、外皮を取り除く必要があります。古代エジプトでは、小麦を平らな石の上で押しつぶして作ったパンを食べていました。小麦を押しつぶすときに、破砕された石の粉が混ざってしまったため、パンを主食にしていたファラオたちの歯はすり減ってしまっていたそうです。

つるつる、しこしこのうどんの作り方

用意するもの

主な材料：強力粉（250g）、薄力粉（150g）、塩（大さじ1）、打ち粉用の粉（適量、強力粉や薄力粉でよい）

主な道具：ボウル（大きめのもの）、ビニール袋（大きめのもの）、麺棒、包丁とまな板、鍋（大きめのもの）

強力粉、薄力粉を使う。計量しながら、大きめのボウルに入れてしまってOK

手順

1. 水を160mL計量し、塩を加えてよく混ぜる。
2. 強力粉、薄力粉が入ったボウルに、1を少しずつ加え、よく混ぜる〈a〉。
3. 全体に水分がいきわたるようにこねる〈b〉。
4. 生地がひとかたまりになったら、ビニール袋に入れて、10分ほど足で踏む〈c〉。
5. 一度生地を取り出してふたつに折り、再度ビニール袋に入れる。3分ほど踏み、室温に2時間ほど置く。
6. 生地をビニール袋から出して丸める。
7. 打ち粉をふった台に、6をのせ、麺棒で薄くのばし、細く切る。
8. 鍋にたっぷりの湯を沸かし、7をゆでる〈d〉。

a

b

c

d

「小麦粉と水をこねれば、うどん」のワケ

小麦粉はタンパク質の含量によって、強力粉、中力粉、薄力粉に分けられます。強力粉では12%程度、薄力粉では8%程度、中力粉はその中間です。小麦粉のタンパク質の中で、8割以上を占めるのは「グリアジン」と「グルテニン」。グリアジンは球がつながったような形をしていて、グルテニンは、細長いひものような形をしています。グリアジンは弾力は弱いのですが、粘りが強く、グルテニンは弾力は強いのですが、のびにくい性質を持っています。

小麦粉に水を加えてこねると、グリアジンとグルテニンが混ざりあって、弾力があって粘りもある「グルテン」になります。小麦には、グリアジンとグルテニンがほぼ同量含まれているので、グルテンができるのです。

パンを作るときには、小麦粉に水、油脂や砂糖、イーストなどを加えてこねます。全体を膨らませるためには、グルテンでできたタンパク質の骨組みの中に、気泡を蓄えたままにしなければなりません。多くのグルテンが必要なので、パンを作るときには強力粉を使います。

うどんは小麦粉と塩と水だけで作り、発酵もさせないので、グルテンが多すぎると硬くなってしまいます。そのため、中力粉を使います。

うどん作りには塩も欠かせません。水だけでこねるよりも、塩を加えてこねた方が、グルテンの結合が強くなります。塩がうどんに「コシ」を与えるのです。うどんの中の塩は、ゆでている間にゆで汁に溶けていきます。ソバをゆでた汁は飲むのに、うどんをゆでた汁を飲まないのは、塩分量が多いからというのもひとつの理由です。

小麦タンパク質の構造（模式図）

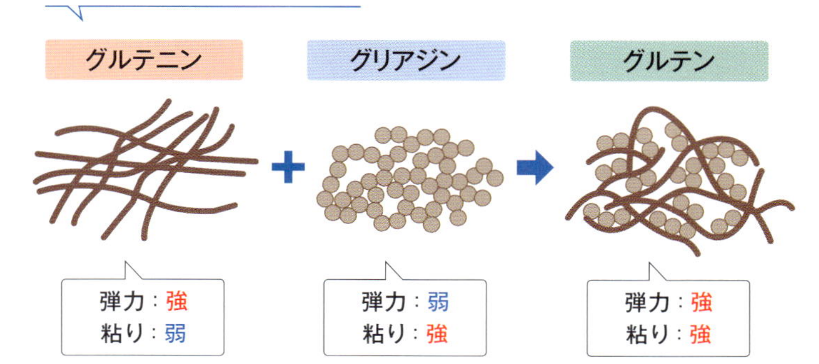

小麦粉の違い

	強力粉	中力粉	薄力粉
原料	硬質小麦	中間質小麦、軟質小麦	軟質小麦
タンパク質の含量	12％程度		8％程度
グルテンの性質	強い（もちもち、しこしこ）		弱い（さくさく、ふわふわ）
主な用途	パン、ピザ、パスタなど	うどん、ドーナツなど	ケーキなどの菓子、天ぷらなど

5分以内

2-5 焼きソバを赤くする身近な粉

保冷設備がなかった昔、肉を保存しておくのは大変だったことでしょう。腐りかけた肉の匂いをごまかすため、そしておいしく食べるために、必須だったのが数々のスパイスでした。コショウやグローブ、ナツメグなどは、インドやインドネシアなどアジアでしか採れません。インドにスパイスを手に入れに行くための新しい航路を開拓することを目的として1492年に航海に出たのが、クリストファー・コロンブスです。

その後、16世紀のヨーロッパでは、これらの産地を求めるあまり、激しい争奪戦が起き、18世紀まで、スパイスをめぐる国同士の戦いが続きました。

さて、おなじみのカレー粉は、ターメリック、クミン、オールスパイス、チリペッパーなどのスパイスからできています。カレー粉が黄色なのは、ターメリックが黄色だから。今回はターメリックの色の変化を見てみましょう！

焼きソバの色の変え方

用意するもの

主な材料：かんすい入り焼きソバの麺（170gほど）、油（少量）、カレー粉（小さじ1）、ウスターソース（小さじ1）

主な道具：フライパン、菜箸

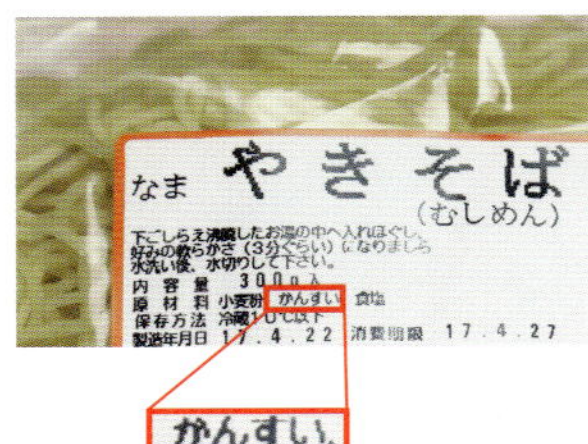

焼きソバの麺は、かんすいを原材料に含んでいるものを使います

手順

1. 焼きソバの麺は打ち粉や油がついていたり、生麺であったりすれば、湯をかけてほぐすなどの下準備をする。
2. フライパンに油をひいて火にかけ、1の麺を炒める〈ⓐ〉。色を確認し、$\frac{1}{3}$量を取り出す。
3. 2のフライパンにカレー粉を加えてよく混ぜる〈ⓑ〉。色を確認し、$\frac{1}{2}$量を取り出す。
4. 3のフライパンにウスターソースを加え、よく混ぜる〈ⓒ〉。
5. 火を止め、2と3で取り出した麺と4の麺を見比べる。

＊色の変化を見たあとは、温め直して、加熱した野菜や薬味を添えることで、焼きソバとして食べることができます。

a

b

c

麺の色が変わったワケ

カレー粉の中のターメリックの色は黄色でした。でも焼きソバに混ぜると赤くなりましたね。これはなぜでしょう？

焼きソバの麺は、小麦粉に「かんすい」を混ぜて作られます。かんすいは炭酸ナトリウムと炭酸カリウムの混ざった溶液で、アルカリ性です。かんすい入りの麺もアルカリ性になっています。

ターメリックの中の色素成分はクルクミン。このクルクミンは酸性から中性では黄色ですが、アルカリ性では赤色になります。そのため、アルカリ性の麺と混ざったクルクミンは、赤くなったのです。

ウスターソースは野菜や果実などのジュースをもとに作られており、酸性となっています。酸性のウスターソースを入れることで中性となったため、クルクミンは赤から黄色に戻ったのです。

焼きソバの麺が黄色なのも、かんすいがアルカリ性だからです。小麦粉の中には「フラボノイド」という色素があります。フラボノイドは酸性から中性では無色ですが、アルカリ性になると黄色になります（p.135参照）。素麺（そうめん）は白いですが、重曹を入れたお湯でゆでると黄色くなります。重曹を入れた水はアルカリ性のため、小麦粉の中のフラボノイドが黄色に変わるからです。

うどんやソバは打ってからしばらくすると、硬くなってしまいますが、焼きソバやラーメンの麺は打ち立てよりも一両日寝かせて熟成させたものの方が、食感がなめらかになります。これもかんすいがアルカリ性であり、グルテン（p.80参照）の変性が生じるためのようです。

スパイスのターメリックは「うこん」とも呼ばれ、
ショウガ科ウコン属の同名植物から作られます

現在販売されているかんすいには、液体のものと粉末状のもの
があります。いずれも水を加えて使うことが多いでしょう

約
1時間

2-6 絶品！手作りツナ

缶詰のツナは、マヨネーズとあえておにぎりの具にしたり、サラダにしたり、使い道がいろいろあって、便利ですね。

マグロは英語で「TUNA」。なので、缶詰のツナはマグロからできていると著者は思っていたのですが、表示をよく見ると、原料はマグロだけではなく、いろいろな種類がありました。実際には、TUNAはスズキ目サバ科マグロ属に分類される魚の総称で、マグロの他に、カツオ、スマ、ソウダガツオなどが含まれます。カツオで作っても「ツナ」なのは、そういう理由だったのですね。

「ツナ」はTUNAをオイルで煮たものです。ツナは自宅でも作ることができます。マグロの刺身が余ってしまったときや切り落としが安く売られていたときに、オイルで煮ておけば、いろいろと活用が可能です。好みのハーブを入れて、自分好みの味にすることも簡単にできます。見た目もおしゃれで、おもてなしにもよさそうです。

自家製ツナの作り方

用意するもの

主な材料：マグロ（刺身や切り落とし1パック分）、オリーブオイル（適量）、塩（マグロ重量の3％程度）、コショウ（少々）、ハーブ（ローリエやローズマリーなど香りの強いもの少量）

主な道具：キッチンペーパー、鍋（直径が小さいものだとオリーブオイルの使用量が少なくて済むが、火加減のこまめな調整が必要）

お手ごろなマグロの赤身を活用するのがお勧め。このように切られていないかたまり（サク）で作る場合は、中まで火が通るよう、後述の煮る時間を増やします

手順

1. マグロに塩をふり、30分ほど置く。
2. 表面に出てきた水気をキッチンペーパーでふき取る。
3. 鍋に2、コショウ、ハーブを入れる。
4. 3にマグロがつかるくらいのオリーブオイルを注ぐ〈a〉。
5. 弱火かとろ火でゆっくり、ふつふつと煮る（ぐつぐつさせない）。
6. 沸騰後、5分ほど煮たところで火を止め、冷めるまで待つ。

a

刺身をオイル煮にすると変わるもの

今回の実験では、マグロの赤い刺身を使って作ったツナが、白っぽくなりましたね。豚肉や牛肉も生だと赤いのに、加熱すると白っぽくなります。魚や肉の色が赤いのは、血の色ではなく筋肉の中に「ミオグロビン」という鉄を含むタンパク質があるためです。生肉の中では、鉄は還元状態（Fe^{2+}）であり、ミオグロビンの色は赤くなります。加熱すると、鉄が酸化状態（Fe^{3+}）となり、ミオグロビンの色は褐色になります。加熱によって肉の色が変わるのは、ミオグロビン中の鉄の状態が変わるからなのです。

ミオグロビンは筋肉の中にあって、酸素をくっつけたり、離したりします。暗い赤色のミオグロビンは、酸素と結合すると鮮やかな赤色のオキシミオグロビンに変わります。パックの肉を買ってきたときに、肉同士がくっついていた部分が、茶色っぽくなっていることがありますね。それは、ミオグロビンが酸素を離してしまったからなのです。

同じような酸素の有無による色の変化は、血管中のヘモグロビンでも起こります。私たちの血液中のヘモグロビンも、酸素を離したデオキシヘモグロビンのときは暗い赤色で、酸素と結合したオキシヘモグロビンのときは鮮やかな赤色です。動脈血はオキシヘモグロビンが多いので鮮やかな赤色ですが、デオキシヘモグロビンが多い静脈血は暗い赤色をしています。

ちなみに、しっかりと加熱されているのにピンクがかった豚肉や牛肉もあります。鮮やかに発色させるために亜硝酸塩を使って製造されたハム（p.170参照）、亜硝酸塩に変化する成分を含んだ野菜とともに調理されたロールキャベツなどが主な例です。

2 赤身魚と白身魚の違い

マグロの刺身は赤いのに、ヒラメの切り身や刺身は白いですね。この色の違いは何でしょう？　血の量でしょうか？　実は、筋肉の種類が違うんです。

マグロはずっと泳いでいる魚です。動き続けるためには、常に筋肉に酸素の供給が必要です。筋肉に酸素を届ける働きをしているのが「ミオグロビン」。ミオグロビンが多く、持久力のある筋肉を「遅筋」と言います。マグロは、この遅筋が多い魚です。ミオグロビンは赤いので、マグロの身は赤いんですね。ミオグロビンは筋肉細胞の中の液体部分にある「筋漿タンパク質」のひとつ。筋漿タンパク質は加熱すると、固まります。

一方、ヒラメは砂の中でじっとしていて、獲物が近くに来たときに、素早く捕まえます。持久力よりも瞬発力が必要です。素早く動くためには「速筋」が必要。そして速筋にはミオグロビンがあまり含まれていません。そのため、ヒラメの身は白いのです。

ずっと泳ぎ続けるマグロよりも、さらに筋肉が赤いのがクジラです。クジラは哺乳類。肺呼吸なので、水から酸素を取り入れることができません。そのため、数十分おきに、水面から出て呼吸をし、体内に酸素を取り込む必要があります。そして潜っている間は取り込んだ酸素を使って、動くのです。ミオグロビンがたくさん必要なのですね。

マグロの仲間（左の写真）とヒラメ（右の写真）では、ついている筋肉がかなり異なります

コラム　鮭は赤身魚？

鮭（サケ）の身はピンク色ですね。鮭は赤身魚でしょうか？

日本の川でふ化した鮭は、海に向かって泳ぎだします。海に出た鮭は、イカやイワシなどの小魚、そして動物プランクトンなどを食べて大きくなり、生まれた川へと戻ってきます。海にいるのは4年ほどとされています。広い海で4年も過ごしたあと、ちゃんと自分が生まれた川に戻ってくるというのは、本当に不思議です。鮭は人間の100万倍以上の感度を持ち、それぞれの川の「匂い」をかぎ分けているようですが、まだまだ謎に包まれているそうです。

さて、鮭の切り身はなぜオレンジがかったピンク色をしているのでしょうか？　鮭はもともと白身魚です。餌として大量に食べるプランクトンに含まれている赤色の色素・アスタキサンチンが筋肉に取り込まれることで、鮭の身はオレンジ色になるのです。

マグロのような赤身魚の身は、加熱すると固まりましたが、白身魚の身は、筋漿タンパク質の量が少ないので、加熱すると繊維状にバラバラになります。お寿司などに使う桜デンブの材料も白身魚ですね。赤身魚では、デンブは作れないのです。

鮭は、食べているものが原因でピンク色になっています

2-7 チーズを作ろう！

約30分

牛乳からはチーズ、バター、生クリームなどさまざまな製品が作られます。昔々、アラビアの商人が山羊の乳を入れる袋として、子羊の胃を利用したところ、乳が固まったのがチーズの始まりだと言われています。乳を固める作用を持っていたのは、胃の中にある消化液「レンネット」。

レンネットには、タンパク質分解酵素である「キモシン」と「ペプシン」が混ざっています。お母さん牛からお乳をもらっている子牛のレンネットは、キモシンがほとんどですが、草を食べるようになると、ペプシンが増えてきます。チーズを作るには、キモシンが必要。そのため、チーズ作りには生後30日未満の子牛の胃からレンネットを抽出することが必要でした。

ところが、1960年代に東京大学の有馬啓教授が、キモシンと同じ働きをする酵素を作り出す微生物を発見！「微生物レンネット」が生産されるようになりました。今は、微生物レンネットを使って作られるチーズが増えています。

今回の実験で作るカッテージチーズは本来、レンネットを加え、乳中のタンパク質を凝固させて製造されます。でも、レンネット以外でも、乳中のタンパク質を固めることは可能です。レモン汁を使って確認してみましょう。

カッテージチーズの作り方

用意するもの

主な材料：牛乳（500mL）、レモン汁（大さじ2）

主な道具：鍋、玉杓子、ザル（目の細かいもの）

手順

1. 鍋に牛乳とレモン汁を入れ、よく混ぜる。
2. 1を弱火にかける。その後、あまりかき混ぜないようにする。
3. しばらくして白いかたまりがふわっと浮いてきて、その下の液体が透明になったら、火を止める〈a〉。
4. 3に浮いている白い固まりを、玉杓子ですくって、ザルにあげる〈b〉。
5. そのまま置いて水切りをするか（ふんわりとした仕上がりになる）、さらしなどで包んで水気を絞る（ほろほろとした仕上がりになる）。

a

b

牛乳が固まるワケ

牛乳から作られるものは、乳脂肪（乳脂肪分）を利用して作るものと、乳タンパク質を利用して作るものに分けることができます。バターや生クリームは乳脂肪を利用して作られており、チーズやヨーグルトは乳タンパク質を利用して作られています。

タンパク質は、アミノ酸がずらっと長くつながっている長い分子です。アミノ酸は、必ずカルボキシル基（$-COOH$）とアミノ基（$-NH_2$）という部分を持っていて、隣りあうアミノ酸のカルボキシル基とアミノ基が結合して、三次元構造を作っています。

カルボキシル基やアミノ基は、溶液中で水素イオン（H^+）や水酸化物イオン（OH^-）と、結合したり、離れたりします。このため、タンパク質は溶液中の水素イオンの量（pH）によって性質が変わってしまいます。

牛乳の中には数十種類ものタンパク質が含まれています。このうち酸性で固まるタンパク質を「カゼイン」、固まらないタンパク質を「乳清（ホエー）タンパク質」と呼びます。カゼインは数千個の分子が集まって小さな粒となり、牛乳中に散らばって存在しています。ここにレモン汁（pH2.0程度）を入れて酸性にすると、カゼインが小さな粒になっていることができず、どんどんくっついてしまい、大きな固まりになっていきます。

牛乳の成分

- 牛乳
  - 水分
  - 乳固形分
    - 乳脂肪分
    - 無脂固形分
      - 乳タンパク質
        - カゼイン
        - 乳清（ホエー）タンパク質など
      - 乳糖
      - ミネラル
      - ビタミン

2-8 バターを作ろう！

「食べてすぐに寝ると牛になる」と言うように、牛はくちゃくちゃしながら横になっていることが多いです。でもこれにはちゃんとした理由があるのです。

牛には胃が４つあります。食べ物が最初に入る第1胃の大きさは、成牛の場合で150L！ この中にはたくさんの微生物がいて、牛が食べた草を発酵・分解しています。ヒトは草の中の食物繊維をほとんど消化できませんが、牛の場合は第１胃の中にいる微生物のおかげで、食物繊維の50～80%を消化することができます。牛が横になってずっとくちゃくちゃしているのは、この大きな第１胃と口の間で食べ物が行ったり来たりしているからです。第１胃で消化されかかったものを、口に戻して物理的な刺激によりバラバラにして、また第１胃に戻しているのです。

このように一度飲み込んだ食べ物を再び口に戻してくちゃくちゃする動物を「反芻（はんすう）動物」と言います。羊や山羊、そしてキリンも反芻動物です。

さて、牛が食べた草に含まれていた炭水化物やタンパク質は消化の過程で変化し、血液で運ばれる形になります。牛乳は血液によって運ばれてくる栄養素をもとにして、乳腺細胞で作られます。人間はさまざまな成分を含む牛乳の特性を利用して、形も食感も味も異なる、多種多様な食品を作ります。今度は、バター作りに挑戦してみましょう。

バターの作り方

◆用意するもの

主な材料：純乳脂肪分40％以上の生クリーム（200mL）、塩（少々）

主な道具：ボウル、ハンドミキサー、蓋付きの広口瓶

◆手順

1. 蓋付きの広口瓶を冷凍庫で冷やしておく。
2. 生クリームは冷蔵庫で冷やしておく。
3. ボウルに生クリームと塩を入れ、ハンドミキサーで撹拌する〈ⓐ〜ⓑ〉。生クリームがぽろぽろした小さなかたまりと液体に分かれる〈ⓒ〉まで、撹拌し続ける。
4. 1の瓶を冷凍庫から取り出し、すぐに3を移し入れる。蓋をしっかり閉め、1分ほど強くふる〈ⓓ〜ⓔ〉。
5. 全体がまとまってきたら、瓶ごと冷蔵庫に入れ、1時間ほど待つ。瓶の中身を取り出す〈ⓕ〉。

＊バターは30℃程度で溶けてしまいます。室温が高い場合には氷水でボウルのまわりを冷やしながら作りましょう。

a

b

c

d

e

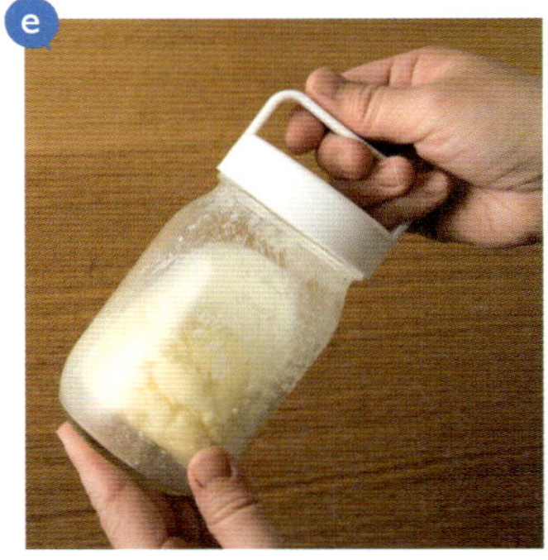

f

バターになったワケ

牛乳は乳脂肪、乳タンパク質、カルシウムなどのミネラル、ビタミンと、いろいろなものが水に溶け込んでいる液体です。本来、脂肪と水は混じりあわないのですが、乳脂肪は界面活性剤（p.173参照）のひとつである脂肪球膜という特殊な膜で保護されているので、水と混ざることができます。

この脂肪球膜は物理的な刺激に弱く、強くふり続けたり、混ぜ続けたりすると壊れてしまいます。脂肪球膜が壊れると、乳脂肪分はもともと水とは混じりあわない脂肪なので、混ざっていることができなくなり、乳脂肪同士で固まってしまいます。これが「バター」です。

観光農場などで「牛乳からバターを作ろう！」というイベントがありますが、市販されている牛乳からバターを作ることはできません。なぜでしょう？

乳脂肪分は水よりも軽いため、絞った牛乳（生乳）をそのまま放置しておくと、乳脂肪が上の方に集まり、乳脂肪同士が固まって、分離してしまいます。これを避けるために、市販されている牛乳は、ホモジナイズ（均質化）という処理を行い、乳脂肪を非常に小さくして、乳脂肪同士が固まらないようにしています。そのため、ホモジナイズされた牛乳をふり続けてもバターは作れません。ノンホモジナイズの牛乳であれば、バターを作ることができますが、生クリームと違い、乳脂肪分の量が少ないので、できるバターの量は少なくなります。

生クリームの変化（模式図）

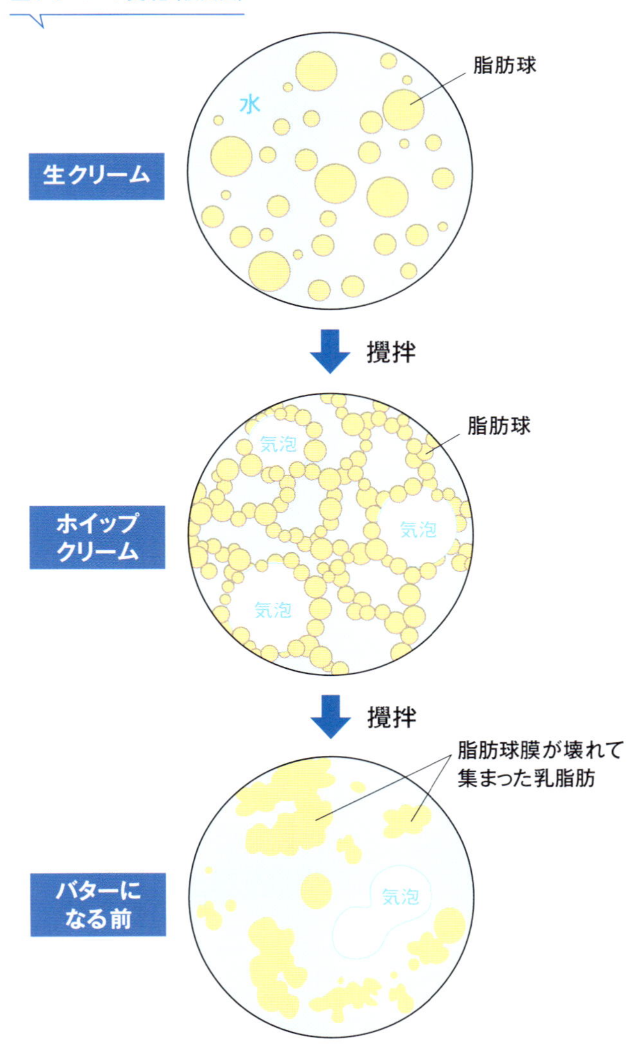

あると便利な道具③

今や家庭での計量に欠かせない、デジタルばかり。普段キッチンで使われているもので十分ですが、このように0.1g単位で量れるものがあると、実験がスムーズにできます

Part 3

違いがわかる！ おもしろ実験

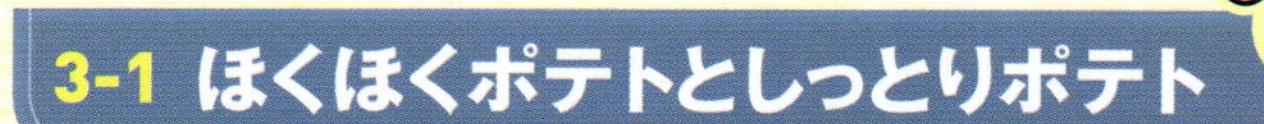

3-1 ほくほくポテトとしっとりポテト

約1時間

シヅキ（紫月）、ノーザンルビー、マチルダ、ホワイトバロン。これらは全部、ジャガイモの品種の名前です。いろいろあるのですね。農林水産省「品種登録データベース」には130種類もの「ばれいしょ」の品種が登録されています。

ジャガイモは品種によって、皮の厚さや色、中身の色などが違います。そして含まれるデンプンや水分量も異なります。そのた

め、種類によって食感や煮崩れ方が異なるのです。

　また、同じ品種のジャガイモでも、生育状態や保存状態の違いで、デンプン量や水分量が変わってきます。トマトの実験（p.14参照）と同様、重量と体積の関係を考えながら、食感がわかりやすいシンプルなベイクドポテトにして、実際に確認してみましょう！

ベイクドポテトの作り方

用意するもの

主な材料： ジャガイモ（2～3個）、オリーブオイル（適量）、塩（50gと少量）

主な道具： ボウル、包丁とまな板、オーブンシート、オーブン（またはオーブン機能のあるトースター）

手順

1. ボウルに水を500mL入れ、塩を50g加えて溶かす。ジャガイモを入れる〈a〉。
2. 浮かんだジャガイモと沈んだジャガイモを分ける（差が出なければ、少しずつ塩を加える）。
3. 2を分けたまま、1cm角ほどの拍子木切りにする〈b〉。
4. 3をそれぞれ空のボウルに入れ、オリーブオイル、塩をふってよく混ぜる。
5. 4の2種類の区別がつくように、オーブンシートを敷いた天板にのせる。200℃に予熱したオーブンで、30分ほど焼く。

＊上記3以降、どちらが浮かんだジャガイモで、どちらか沈んだジャガイモかわかるよう、分けて作業をしましょう。

「ほくほくさ」に違いがあるワケ

ジャガイモは、ほくほくしている男爵のような「粉質系」と荷崩れしにくいメークインのような「粘質系」に大別されます。ほくほくした食感になるのは、細胞がひとつひとつバラバラになるからであり、細胞同士がくっついたままだと粘りが強くなります。

ジャガイモの細胞同士をくっつけているのは、ペクチン（p.75参照）。ペクチンはジャガイモだけではなく、植物の細胞同士をくっつけている成分で、果物にも多く含まれています。加熱すると、ペクチンは分解されて、細胞同士も離れます。野菜を加熱すると柔らかくなるのは、ペクチンが分解されるからなのです。

今回の実験で食塩水に沈んだのは、デンプンがたくさん含まれている「高比重のジャガイモ」で、浮いたのはデンプンがあまり含まれていない「低比重のジャガイモ」。東京農業大学・佐藤広顕先生の研究によると、「高比重ジャガイモ」は「低比重ジャガイモ」に比べてペクチンの量も多く、加熱すると細胞がバラバラになりやすいようです。食べたときにほくほくしているベイクドポテトが好きな場合は、「高比重のジャガイモ」を使うとよさそうですね。

ちなみに、マッシュポテトやポテトサラダを作るときは、熱い状態のジャガイモをつぶすのが望ましいとされています。これは、冷えてしまうと、ペクチンが細胞同士を再度くっつけてしまうからです。その状態で無理やりつぶすと、細胞が壊れて、デンプンが外に出てしまい、食感がべちゃべちゃになってしまいます。

ほくほくしたジャガイモの品種として、定番の男爵の他、これに近い品種で甘みが強い「キタアカリ」も最近は人気。同じ品種でも、高比重のものと低比重のものがあります

3-2 煮崩れさせないみりんの力

肉じゃがを作るときによく使われる調味料は、酒（日本酒）、みりん、砂糖、しょうゆ。砂糖としょうゆは味つけに必要だとわかりますが、なぜ、酒またはみりん、もしくはその両方が欠かせないのでしょう？

「本みりん」は酒売り場に置かれています。ということは、みりんは酒なのでしょうか？　非常に身近な調味料でありながら、よく知られていない一面がありそうです。その秘密を探ってみましょう。

水とみりんの対照実験

用意するもの

主な材料： ジャガイモ（男爵などほくほくするもの1個）、みりん（大さじ2）

主な道具： 包丁とまな板、鍋（2個）

手順

1. ジャガイモは8等分に切る。
2. 一方の鍋に水を500mL入れる。もう一方の鍋に水を500mL入れ、みりんを加える。
3. ふたつの鍋に1のジャガイモを4片ずつ入れる。
4. ふたつの鍋を火にかけ、沸騰後10分ほど煮る。火を止め、分けたまま取り出して見比べる。

みりんで煮崩れしにくくなるワケ

みりんを入れた鍋でゆでたジャガイモは、煮崩れしていません。みりんには、アルコール分が13～14%含まれています。酒（日本酒）のアルコール分は15～16%なので、ほとんど同じですね。ジャガイモの細胞同士をくっつけているのはペクチンです（p.109参照）。ペクチンは加熱すると溶け出してしまうのですが、アルコールがあると溶け出しにくくなります。そのためみりんが入った鍋のジャガイモは、ペクチンが残ったままになり、煮崩れしなかったのです。

酒とみりんは、材料や作り方が大きく違います。酒の原料はうるち米ですが、みりんの材料はもち米です。酒もみりんも、米を蒸したあとに、米麹を加えて、お米の中のデンプンを分解させます（これを「糖化」と呼びます）。

うるち米に含まれるデンプンは、「アミロペクチン」が75～85%で、残りは「アミロース」です。一方もち米はアミロペクチンが100%。アミロペクチンはたくさん枝分かれした構造なので、長い鎖状のアミロースよりも分解されやすく、糖化により、甘みを持

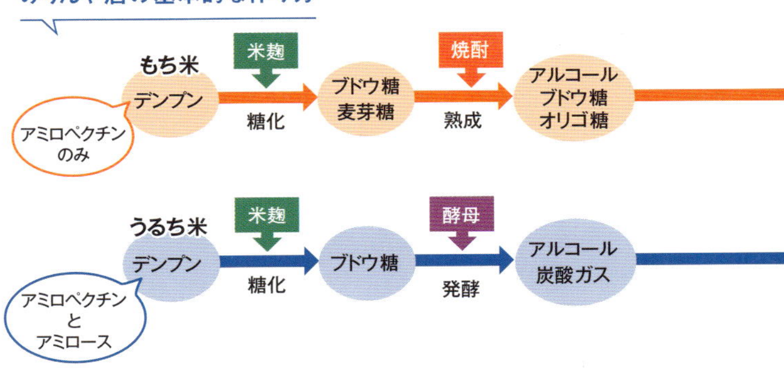

つブドウ糖や麦芽糖がたくさんできます。

酒は糖化のあと、酵母を加えて発酵させます。酵母はブドウ糖をアルコールと炭酸ガスに分解します。発酵によりアルコールができるのです。一方、みりんは発酵をさせません。糖化が終わったら、焼酎を加え、酵母の働きを抑えつつ、熟成させます。

こうしてできたみりんには、イソマルトース、オリゴ糖など、9種類以上もの糖、18種類のアミノ酸が含まれます。糖のほとんどはブドウ糖（約73%）とオリゴ糖（約27%）です。オリゴ糖には、照り、つやを出す効果があります。そのため、みりんを使うと照り、つやが出ます。

みりんはアルコール度数が高いため、酒税がかかります。酒税がかからないよう、アルコール分が低くなるように作られたのが、みりん風調味料です。糖類、米、米麹、調味料などで作り、みりんに味を似せてあります。アルコール分は1%未満と低いので、煮崩れを防ぐ効果はありませんが、多数の糖類が含まれるので、照りやつやは出ます。みりん風調味料と区別するために、みりんは「本みりん」とよく呼ばれます。

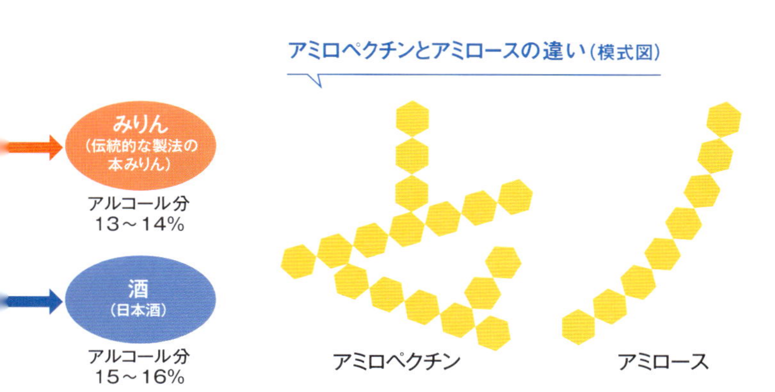

3-3 甘くない片栗粉を甘くする方法

あんかけ料理を食べていると、とろみがついていたはずなのに、いつのまにか、さらさらになっていることがあります。これは、ヒトの唾液の中にアミラーゼが含まれているからなのです。大根にもアミラーゼが含まれています。アミラーゼがデンプンを分解することを確かめてみましょう。

デンプンの分解実験

用意するもの

主な材料：大根（50g）、片栗粉（大さじ3）

主な道具：鍋、おろし金、容器（碗など2個）

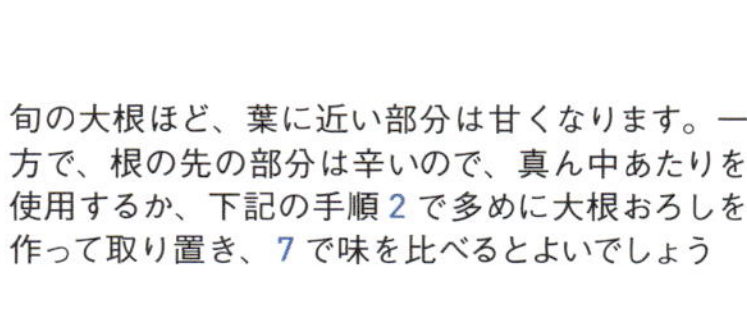

旬の大根ほど、葉に近い部分は甘くなります。一方で、根の先の部分は辛いので、真ん中あたりを使用するか、下記の手順2で多めに大根おろしを作って取り置き、7で味を比べるとよいでしょう

手順

1. 鍋に片栗粉を入れ、水を100mL加えて、30分以上置く。
2. 大根をおろし金ですりおろす。
3. 1の鍋を火にかける。よく混ぜ続け、透明でとろみのある状態になったら手と火を止める。
4. 3を半分ずつ、2個の容器に分け入れる。
5. 4が冷めたら、1個の容器のみに2の大根を加える〈ⓐ〉。
6. 1時間程度置く。
7. 2つの容器、それぞれの味を確認する。

デンプンが分解されると甘くなるワケ

片栗粉と水を混ぜて加熱すると、デンプンが糊化（こか）し、とろみが出て固まります。大根をすりおろしたものを加えると、さらさらした状態になり、味も甘くなりました。

大根の中には、糊化したデンプン（αデンプン）を分解するアミラーゼが存在します。アミラーゼはブドウ糖が長くつながったデンプンを分解します。

ヒトの舌には味細胞があり、ここに物質がくっつくことで味を認識しています。デンプンは大きすぎ、味細胞にくっつくことができないので、ヒトは味を感じません。デンプンが分解されてブドウ糖や、ブドウ糖がふたつつながった麦芽糖になると、味細胞にくっつくことができるので、甘みを感じるようになります。

植物は、葉っぱで光合成を行って、作り出したブドウ糖をデンプンとして貯蔵します。芽生えのタイミングなどが来て、エネルギーが必要になると、貯蔵したデンプンをアミラーゼで分解して糖に変え、自分自身の栄養源としているのです。

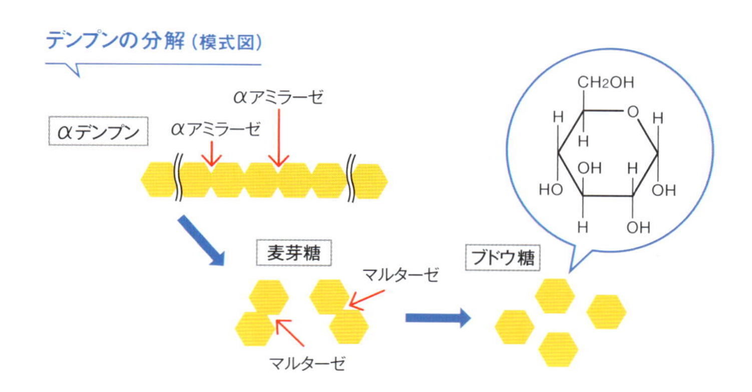

コラム 片栗粉とコーンスターチ

江戸時代にはユリ科のカタクリの根から作っていた片栗粉ですが、現在はジャガイモから作っています。ジャガイモを切ったあと、水にさらすと、下に白い粉がたまります。これが、「馬鈴薯デンプン」と呼ばれるもので、片栗粉の原料です。

ジャガイモは、茎の部分が地中で大きくなった「地下茎」です。ジャガイモを日の当たるところに出しておくと、緑色になります。茎の部分なので、日が当たることで、クロロフィルが作られて、光合成を始めるのです。そして日が当たると、ソラニンやチャコニンといった有害物質も作られます。そのため、緑色になったジャガイモは食べてはいけないのです。

コーンスターチも料理にとろみをつけるために使われます。コーンスターチはその名前の通り、トウモロコシのデンプンです。トウモロコシには「ひげ」がついていますね。このひげは、トウモロコシのめしべで、ここに花粉がつくことにより受粉が起こって、実ができます。ひげの数が多いと実の数が多いのは、このためです。

さて、片栗粉もコーンスターチも料理にとろみをつけるために使われます。とろみがつくのは、デンプンが糊化するからです（p.117

早春に咲くカタクリ。昔はこの鱗茎（りんけい）が片栗粉作りに使われていました

参照）。ジャガイモのデンプンである片栗粉は、糊化すると透明になります。温度が高いうちは粘度が高いのですが、温度が低くなると粘度が低くなってしまいます。一方、コーンスターチは、糊化しても透明にはならず、粘度も片栗粉ほど高くないのですが、温度が低くなっても粘度があまり変わりません。カスタードクリームやブラマンジェなど、冷やして食べるお菓子を作るときは、片栗粉ではなくコーンスターチを使う必要があります。

さて、片栗粉でとろみをつけようとして、ダマになってしまったことはないでしょうか？　片栗粉のデンプンは粒が大きいので、加熱により周辺部だけ糊化してしまい、中心部が糊化しないということが起こってしまいがちです。これを防ぐには、あらかじめ中心部まで、水を入れてふやかしておく必要があります。片栗粉をあんかけなどに使用するときには、事前にしっかり水と混ぜてなじませましょう。30分以上前から水に浸しておくことをお勧めします。

片栗粉とコーンスターチの違い

	片栗粉	コーンスターチ
原料	ジャガイモ	トウモロコシ
デンプンの粒の大きさ	15～120μm（大きさがバラバラ）	6～30μm（大きさが比較的そろっている）
糊化温度	55～66℃	65～76℃
とろみの色	透明	不透明
粘度	高い（温度が下がると粘度が下がる）	低い（温度が下がっても粘度は持続する）
適した料理	あんかけ料理、揚げ物の衣など	カスタードクリーム、ブラマンジェなど

3-4 硬いはずの肉で柔らかいステーキ

約2時間

牛肉の摂取量の多い欧米では赤身肉が好まれます。日本でも近年、脂肪の少ない赤身肉の人気が高まっているそうですね。とはいえ、やはり霜降りのように柔らかい食感は好まれているようです。「安く売られている赤身肉は硬くて好きではない」という人も多いのではないでしょうか?

牛肉の柔らかさとおいしさは脂肪と赤身(筋肉部分)によって決まります。牛肉の脂肪を家庭で増やすことは難しいのですが、柔らかくするのは意外に簡単です。柔らかくする過程で、うまみ成分も増やすことができます。「お手ごろだけれど硬そう」な肉があったら試してみましょう。

硬い肉の対照実験

用意するもの

主な材料：牛肉（厚みがあるもの200g）、ショウガ（正味20g）、油（適量）

主な道具：おろし金、包丁とまな板、フォーク、フライパン、菜箸

手順

1. ショウガはすりおろして絞る（ショウガ汁になる）。
2. 肉を半分に切り、フォークで刺して穴を開ける。
3. 肉のうち１片を１に浸し、もう一片はそのままにする〈a〉。
4. 室温で１時間置く（夏場は肉が傷みやすいので、冷蔵庫に入れて３時間置き、室温に戻す）。
5. フライパンに薄く油をひいて火にかけ、２種類の肉を焼く。焼けたら火を止め、硬さを確認する。

a

硬い肉が柔らかくなったワケ

肉の赤身部分の主成分はタンパク質です。タンパク質はアミノ酸がずらっとつながった大きい分子です。ショウガにはタンパク質を分解するプロテアーゼが含まれています。だから、ショウガ汁に浸した肉は、タンパク質が分解され柔らかくなったのです。

タンパク質は大きな分子なので、ヒトは味として感じられません。プロテアーゼによりアミノ酸やペプチド(アミノ酸が数十個つながったもの)になると、味を感じます。プロテアーゼが働くと、柔らかくなるだけでなく、うま味も増えるのです。ショウガの他、パイナップル、キウイフルーツ、パパイヤ、メロンなどにもプロテアーゼが含まれています。

プロテアーゼもタンパク質なので、加熱すると構造が変わって、タンパク質を分解できなくなります。ショウガ汁の代わりに生のパイナップルを用いても、肉は柔らかくなりますが、缶詰のパイナップル(シロップ煮)だと、柔らかくなりません。

植物にプロテアーゼがあるのは、虫に食べられるのを防ぐためだと言われています。「たくさん食べると動けなくなる」というワケです。ヒトにも害があるかといえば、通常食べる量なら問題ありません。虫とヒトは大きさがまったく違います。そして、ヒトの腸内には、食べ物に含まれるタンパク質を分解するプロテアーゼがあるので、植物由来のプロテアーゼも分解されるのです。

プロテアーゼが含まれるフルーツの例

コラム　キノコは冷凍する方がいい？

マイタケにも、タンパク質を分解するプロテアーゼが含まれています。かたまり肉にマイタケを刻んだものをまぶしておいたり、スライスした肉とマイタケを混ぜておいたりすると、肉が柔らかくなります。

一方、茶碗蒸しを作るときにマイタケを入れてはいけません。卵のタンパク質が分解されるので、固まらなくなります。

マイタケはキノコの一種です。キノコは、複数の種類を取りあわせて料理に使う方も多いでしょう。買ってすぐに使い切れない分は、冷凍しておくと便利ですが、それによっておいしくなるとも言われます。どんな変化が起こるからでしょうか？

キノコには、水分が非常に多く含まれています。シイタケ、マイタケ、ブナシメジなどは、いずれも可食部の90%が水分です。水は、凍ると体積が増えます。キノコを冷凍すると、細胞内にあった水分が凍り、細胞壁を壊します。その結果、キノコの細胞内にあったう

まみ成分が細胞外に出やすくなるのです。

キノコのうまみ成分はグアニル酸というアミノ酸です。グアニル酸は、細胞の中にあるリボ核酸(RNA)が分解されてできたものです。干し椎茸は、日に当てて干す過程でグアニル酸の生成量が増えるので、生の椎茸よりもうまみが増します。

ジッパー付きビニール袋などに入れてキノコを冷凍しておくと、うまみも増します

キノコは、まるで「木の子ども」のように、木にくっついて成長します。シイタケはシイやクヌギなどの木に、マイタケはブナの仲間の木にくっついて成長するのです。でも、木の何を栄養分としているのでしょう？ 木はリグニン、セルロース、ヘミセルロースといった成分により、硬くなり、上に向かって大きく成長していきます。動物はこれらの成分を消化できません。キノコは、これらを分解するための酵素を持っていて、栄養分にできるのです。

3-5 「おいしいおにぎり」考察

30年ほど前まで、おにぎりは「家で作るもの」でしたが、今は「コンビニで買うもの」という人も多いのではないでしょうか？　梅干し、おかか、鮭ぐらいだった具材のバリエーションも、ツナマヨ、鶏のから揚げ、焼き肉など、どんどん広がっていますね。

市販のおにぎりは時間がたってもおいしさが保たれていますが、家で作るおにぎりはベチャッとしたり、硬くなってしまったりすることがあります。米の性質を知ることで、おいしいおにぎりを作りましょう！

おにぎりの作り方

◆用意するもの

主な材料： 米（好みの量）

主な道具： 炊飯器、ラップ、アルミホイル

◆手順

1. 米は研ぎ、たっぷりの水に30分ほど浸す。
2. 1の水気をしっかり切り、炊飯器の内釜に入れる。米の合数分の目盛りまで水を注ぐ。炊飯器で炊く。
3. 炊きあがった2をざっくりと混ぜ、ラップの上に広げる〈ⓐ〉。別のラップでひとつかみほどずつ包み、おにぎりにする。
4. 3の約半数を新しいラップで包みなおす。残りの3のラップも外し、クシャクシャにしたアルミホイルで包みなおす〈ⓑ〉。

＊しばらく置き、おにぎりが痛まないうちに食感を比べてみましょう。

おにぎりの科学

品種によって違いますが、1粒の米（種籾）から芽が出ると、6～10本の茎に分かれ、そこから出てくる稲穂に80～100粒の籾が実ることが多いそうです。1粒が600～1000粒ほどに増えるのですね。籾は稲の「種子」です。私たちが食べているのは、籾殻を取った玄米、あるいは玄米からぬかや胚芽を落とした白米（胚乳）です。胚芽というのは、種の中に入っているときの「芽」です。

収穫された稲穂。たくさんの籾が実っています

おなじみの白米。もともと胚芽のあった部分が欠けています

芽が出るとき、そして出てからしばらくの間の栄養源となるのが、胚乳にたくさん含まれているデンプンです。

デンプンは、ブドウ糖が長く鎖状につながったもので、「アミロース」と「アミロペクチン」の２種類があります。ブドウ糖がらせんを描くように１本でつながっているものがアミロースで、枝分かれしてつながっているものがアミロペクチンです。うるち米に含まれるデンプンはアミロースが15～25％で、アミロペクチンが75～85％ですが、もち米はアミロペクチンが100％です（p.112参照）。

米の中にはアミロースとアミロペクチンがぎゅっと固まった状態で詰まっています（β化デンプン）。この状態では、ヒトはデンプンを消化できません。水に入れて加熱すると、デンプンが糊状に変わり、柔らかくなり、消化できるようになります（α化デンプン）。米を水に浸してから炊くのは、粒の中心まで水を浸透させて、しっかりα化させるためです。

α化したデンプンは、冷えると再びβ化して硬くなってしまいます（老化）。β化しやすい温度は0～5℃。冷蔵庫でご飯を保存すると味が落ちるのは、そこがデンプンの老化が進みやすい温度だからなのです。一気に温度が下がれば、老化はほとんど進みません。そのため、ご飯は冷凍庫での保存が適しているのです。

生米の水分量は15％程度ですが、炊き立てのご飯では60％程度になっています。そのため、炊き立てのご飯を握り、ラップで包んでそのままにしておくと、ご飯から湯気が出て、ラップとご飯の間に水滴がたまり、おにぎりの表面がベチャッとしてしまいます。アルミホイルをクシャクシャにしたもので、おにぎりを包むと、水滴がアルミホイルの隙間にたまるので、おにぎり自体はベチャッとはなりません。

おにぎりは、握ってから食べるまでの時間が長くなることが多く、毎年、日本国内だけで数百名の食中毒患者が出ています。おにぎりの食中毒の原因となるのは、ヒトの手にもよくいる「黄色ブドウ球菌」です。黄色ブドウ球菌は27分で1回分裂するので、1個の黄色ブドウ球菌が7時間後には3万個以上になってしまいます。温度が高くて水分が多いと、分裂スピードはもっと早くなります。

菌の繁殖を極力抑えるために、炊き立てのご飯は、一度ラップの上に広げ、水分を飛ばすことをお勧めします。その後、ラップで包むとしっとりとしますし、アルミホイルで包むとちょっと硬めになります。どちらがいいかはお好み次第といったところです。そして、ラップで保存するにせよ、アルミホイルで保存するにせよ、作ってから食べるまでの時間が長くなる場合には、素手ではなくラップで握るようにしましょう。

デンプンの変化（写真と模式図）

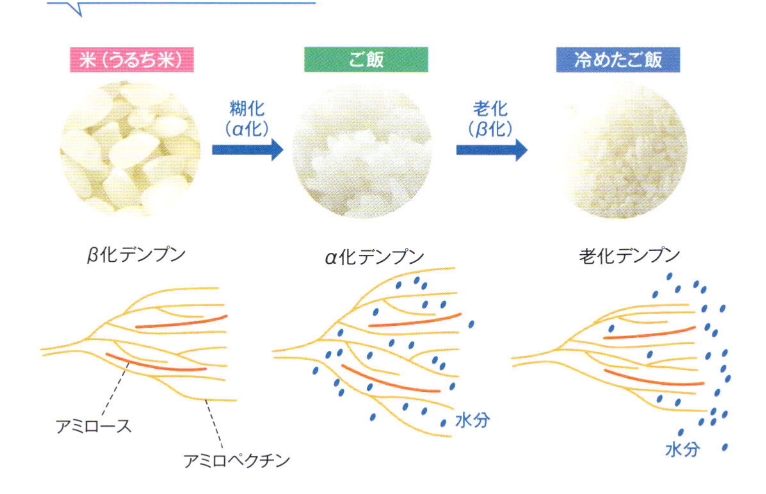

3-6 ベーキングパウダーと重曹を比較

約30分

　お菓子作りのとき、大いに活躍するベーキングパウダー。他にもお菓子を膨らませる材料といえば、重曹がありますね。ベーキングパウダーと重曹って、何が違うのでしょう？　ベーキングパウダーがないときに重曹を使っても大丈夫??　違いをはっきりさせるために蒸しパンを作って実験してみましょう。

蒸しパンの作り方

用意するもの

主な材料（重曹の蒸しパン）： 薄力粉（50g）、砂糖（30g）、重曹（小さじ½）

主な材料（ベーキングパウダーの蒸しパン）： 薄力粉（50g）、砂糖（30g）、ベーキングパウダー（小さじ½）

主な道具： 耐熱容器（4個ほど）、ボウル（2個）、粉ふるい（または目の細かいザル）、ラップ、レーズン（8粒ほど）、電子レンジ

耐熱容器は型として使います。耐熱の器に薄い紙型を敷いたり、自立する紙型を使ったりしてもよいでしょう

手順

1. 重曹の蒸しパンを作る。ボウルに砂糖を入れ、水を50mL加えてよく混ぜる。
2. 薄力粉と重曹を粉ふるいでふるいあわせ、1に加えて混ぜる（少々ダマがあっても大丈夫）。
3. 2を耐熱容器2個ほどに分け入れる。あとで重曹入りとわかるように、レーズンなどで飾る。
4. ベーキングパウダーの蒸しパンを作る。重曹の代わりにベーキングパウダーを用い、1～3と同様に作る（レーズンの数か色は変える）。
5. 3と4の上面をそれぞれラップで覆い、600Wの電子レンジで5分加熱する。

重曹とベーキングパウダーの違い

重曹（炭酸水素ナトリウム）で作った蒸しパンは、ベーキングパウダーで作った蒸しパンよりも黄色っぽくなりました。これは薄力粉の中にあるフラボノイドという色素のためです。フラボノイドは酸性から中性では無色ですが、アルカリ性では黄色になります。

重曹は弱いアルカリ性で、加熱すると炭酸ガス（二酸化炭素）と炭酸ナトリウムになります。炭酸ナトリウムは強いアルカリ性です。そのため重曹で作った蒸しパンの中はアルカリ性となり、小麦粉の中のフラボノイドが黄色くなったのです。炭酸ナトリウムは苦いので、重曹で作った蒸しパンは少し苦みを感じます。

ベーキングパウダーには重曹の他に酸性剤が含まれています。重曹のそばに酸性のものがあると、炭酸ガスと中性の物質になり、炭酸ナトリウムができません。そのためベーキングパウダーで作った蒸しパンはアルカリ性にならず、中性に近くなります。フラボノイドも無色のままなので、白い蒸しパンとなります。そして苦みもありません。

ただ重曹と酸性剤だけだと、加熱しなくても反応して炭酸ガスを発生してしまいます。これでは保存に適しません。このためベーキングパウダーの中にはコーンスターチなどの遮断剤が入っていて、重曹と酸性剤がくっつかないようになっています。とはいえ、やはり少しずつは反応してしまうので、古くなったベーキングパウダーはお菓子を膨らませる力が弱くなっています。

重曹は食用のものを使用。「タンサン」として販売されていることも

ベーキングパウダー。缶入りや袋（箱）入りのものがあります

約30分

3-7 色変わりパンケーキ！

子どものころ、夏休みの宿題で「アサガオの観察」をした人は多いのではないでしょうか？　つぼみのときは赤紫色なのに、開くと青くなり、しぼむとまた赤紫色になる「空色アサガオ」を観察した人もいることでしょう。同じ花なのに、色が変わるのは不思議ですよね。

ここで紹介する「色変わりパンケーキ」のしくみとアサガオの花の色が変わるしくみは科学的には同じなのです。まったく関係がなさそうなのに、つながっているのですね。

ちなみに、アサガオの観察は「花が咲いたので、おしまい」にするのはもったいないです。種ができ始め、まだ緑色のころに、中身を確認してみてください。小さな葉っぱ（子葉（しよう））が折りたたまれて入っているのがわかりますよ！

色変わりパンケーキの作り方

用意するもの

主な材料： ホットケーキミックス（150g）、卵（1個）、牛乳（100mL）、ブルーベリー（大さじ1）、レモン汁（大さじ1）、トッピング材料（p.98のバターやフルーツなど適宜）

主な道具： ボウル（2個）、耐熱容器、フライパン（またはホットプレート）、フライ返し、電子レンジ

手順

1. ボウルにホットケーキミックス、卵、牛乳を入れ、よく混ぜる。
2. 耐熱容器にブルーベリーを入れ、水を大さじ1加える。600Wの電子レンジで30秒加熱する。
3. 1に2を加え〈a〉、均一になるまで混ぜる〈b〉。
4. 3の半量を別のボウルに移す。
5. 片方にレモン汁を加えて混ぜる〈c〉。色を確認する〈d〉。
6. それぞれ焼く。好みで盛りつける〈e〉。

＊卵を白身と黄身に分け、白身をメレンゲ状に泡立てて黄身、ホットケーキミックス、牛乳を混ぜたものとあわせ〈f〉、手早く他の材料と混ぜて焼くと、ふわふわのホットケーキになります。

a
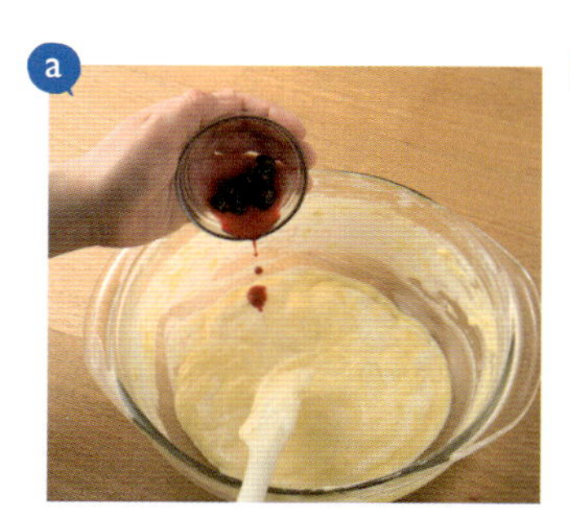

b

c

d

e

f

生地の色が変わったワケ

ブルーベリーの紫色は、「アントシアニン」(p.20参照)の色です。アントシアニンは植物の中にある色素で、酸性では赤色、中性では紫色、アルカリ性では青色に変化します。

卵はアルカリ性で、卵が含まれたパンケーキの生地もアルカリ性です。この生地にブルーベリーを加えると、アントシアニンが青色に変わり、卵の黄色と混ざって、灰色がかった緑色に見えます。ここに、酸性であるレモン汁を加えると、アントシアニンは青から紫、そして赤に変わります。

ではなぜ、アントシアニンは酸性やアルカリ性によって色が変わるのでしょう？　アントシアニンはまわりにある水素イオン(H^+)と水酸化物イオン(OH^-)の量によって色が変わります。

H^+が多い酸性の状態では、アントシアニンは青い光を吸収し赤い光を反射する構造となるので、赤くなります。OH^-が多いアルカリ性の状態では逆に赤い光を吸収し、青い光を反射する構造となるので、アントシアニンは青くなります。

H^+とOH^-の濃度を表す指標がpHです。酸性はH^+がOH^-よりも多い状態(pHが7より小さい)で、アルカリ性はH^+がOH^-よりも少ない状態(pHが7より大きい)です。H^+がOH^-が同じならば中性(pHは7)になります。強い酸性のものほどpHは小さく、強いアルカリ性のものほどpHは大きくなります。

すべての水溶液はpHを測ることにより、「酸性なのか、中性なのか、アルカリ性なのか」の目安をつけることができます。

約半日

3-8 しっとりクッキーとさくさくクッキー

ミツバチは花のありかを仲間に教えるために、花を見つけて巣に帰るとダンスを踊ります。花が近くにあるときは、円を描くように踊り、花が遠くにあるときは８の字を描くようにダンスをするそうです。ダンスのスピードは花のミツの多さを示し、ダンスの方向は花の位置と太陽の角度を示すとのこと。すごいですよね。

花のミツを集める働きバチはすべてメスです。幼虫から成虫になったあとは、しばらく幼虫の世話をするなどして、巣の中で働きます。最後の役目が花のミツを集めること。花がたくさん咲いて忙しいときは働きバチの寿命は短く、冬越しをしている間は寿命が長いそうです。なんだか身につまされますね。

そんなことにも思いをはせながら、ハチミツのクッキーを作ってみましょう。実はこのお菓子、グラニュー糖を使ったクッキーと見た目も食感もかなり異なります。どちらがどうなるか、予想してみてくださいね。

クッキーの作り方

用意するもの

主な材料：バター（100g）、薄力粉（100g）、卵黄（1個分）、グラニュー糖（大さじ1）、ハチミツ（大さじ1）

主な道具：ボウルまたは碗（2個）、粉ふるい（または目の細かいザル）、ラップ、包丁とまな板、オーブンシート、オーブン

手順

1. ボウルにバターを入れ、マヨネーズ状になるまでよく混ぜる。
2. 1に卵黄を加え、さらに混ぜる。
3. 2の半量を別のボウルに移す。
4. 3の一方にはグラニュー糖、もう一方にはハチミツを加え〈ⓐ〉、混ぜあわせる。
5. 薄力粉を粉ふるいでふるい、4のそれぞれに半量ずつ加える。ざっくりと混ぜる。
6. 5の生地をそれぞれ、直径3cmほどの棒状にしてラップで包み〈ⓑ〉、冷蔵庫で1時間ほど冷やす。
7. 6を1cm弱の厚さに切り分け、オーブンシートを敷いた天板にのせる〈ⓒ〉。150℃に予熱したオーブンで20分ほど焼く。
8. オーブンから取り出し（熱いので注意）、そのまま冷めるまで置く〈ⓓ〉。目で見て味見をし、残りはひと晩置いて確認する。

b

c

d

クッキーの色が違うワケ

ハチミツを使ったクッキーは、グラニュー糖を使ったクッキーよりも茶色くなりました。「ハチミツに色がついているからでは?」とも思うのですが、焼く前よりもさらに茶色くなっています。何より違うのは、ひと晩たったあとの食感です。ハチミツを使ったクッキーはしっとりと、グラニュー糖を使ったクッキーはさくっとしています。

ハチミツは、ミツバチが花のミツを集めたものですが、花のミツとは成分が違います。花のミツはほとんどがショ糖でできています。ミツバチは花のミツを吸い込んだあと、体内で自分自身の分泌液と混ぜて、巣の中に貯蔵します。分泌液の中には、ショ糖を果糖とブドウ糖に分解する酵素が含まれており、巣の中で貯蔵している間に、ショ糖の分解が進みます。その結果、ハチミツの成分は、果糖とブドウ糖がほとんどとなり、ショ糖は数%となります。

花のミツを集めるミツバチ

果糖やブドウ糖は、薄力粉の中のアミノ酸と反応し、「メラノイジン」という茶色の物質を作ります（メイラード反応）。パンの焼き色、肉の焼き色など、食品を加熱したときに褐色になるのは、メラノイジンによるものがほとんどです。

そして、果糖は吸湿性がとても高い物質です。果糖とブドウ糖の多いハチミツを使ったクッキーはメラノイジンがたくさんできたので茶色になり、ひと晩放置すると吸湿して、しっとりとします。一方、グラニュー糖の成分は、ショ糖99.95%。そのため、メラノイジンができにくいのです。そしてショ糖は吸湿性も低いので、グラニュー糖を使ったクッキーは白くて、ひと晩たってもさくさくしているのです。

メラノイジンは、メイラード反応によってできる褐色色素として知られています。パンや肉の焼き色、タマネギを炒めると出てくる飴色、焙煎したコーヒーの色などがおなじみです

あると便利な道具④

実験に直接使用しなくても、大きめのバット、あるいはお盆をひとつ用意しておくと、持ち運びや観察に重宝します

Part 4

意外に知らないしくみでおいしく

4-1 憧れの十割ソバ

約1時間

ソバ粉はタデ科ソバ属のソバの実を石臼か機械で砕くようにして、粉にしたものです。ソバは冷涼で乾燥した土地で育ちます。米が穫れない土地でも収穫でき、冷害にも強く、生育期間も短いため、飢饉に備えて備蓄する食料となっていたようです。

さて、大人の趣味として始める人も多い「ソバ打ち」。材料や必要なものが少ないので、チャレンジしやすいでしょう。しかし、

ソバ粉と水だけで作る「十割ソバ」の生地をしっかりまとめ、ゆでてもブツブツに切れないように仕上げるには、かなりの練習が必要になります。そのため、つなぎとして小麦粉（中力粉か強力粉）を入れた二八ソバ、一九ソバがよく作られているようです。

でも、修行なしに十割ソバを作れる方法があります。大きな失敗はほとんどないはずなので、ぜひお試しくださいね。

十割ソバの作り方

用意するもの

主な材料：ソバ粉（100g）、打ち粉用の粉（適量、ソバ粉や強力粉などでよい）

主な道具：鍋（大きめのもの）、ボウル、霧吹き、麺棒、包丁とまな板

手順

1. ボウルにソバ粉を入れる。
2. 霧吹きに水を50mL入れ、1のソバ粉に少しずつ吹きかけながら〈a〉、混ぜていく。
3. 小さなかたまりができ〈b〉、それらがまとまってひとつのかたまりになるまで混ぜる〈c〉。さらに2分間こねる。
4. 打ち粉をふった台に、3をのせ、麺棒で薄くのばし、細く切る。
5. 鍋にたっぷりの湯を沸かし、4をゆでる。ゆであがったら、冷水で洗って水気を切る。

＊出来上がったら、まずはそのまま仕上がりを確認しましょう。好みでソバつゆか麺つゆなどを添えても〈d〉。

a

b

c

d

十割ソバが難しいワケ

うどんは小麦粉のグルテンにより、粘りが出て、麺になりました(p.80参照)。ソバ粉にもグルテンがあるのでしょうか? ソバ粉にはタンパク質が12%程度含まれていますが、グリアジンやグルテニンは含まれず、「グルテンフリー」の食材とされています。

ソバ粉のタンパク質の大部分を占めるのが、アルブミンとグロブリンです。このうちアルブミンは水に溶け、粘りを生みます。ソバ粉が固まるのはアルブミンが水に溶けたからです。水があると、そこにアルブミンが溶け出して固まってしまうので、ソバ打ちでは、広範囲に水をいきわたらせるのがポイントです。

そのために大切なのが、多すぎない水を粉全体にまんべんなく加えるための、素早い手の動き。これは「水回し」などと呼ばれ、ソバ打ちの修行には「水回し(木鉢)3年、のばし3月、切り3日」という言葉があるほどです。この最初の工程が難しく、素人には

難易度の高い水回しの作業。ちょっとしたタイミングや力加減で仕上がりが変わります

マネしにくいので、生地がまとまらない失敗の大きな原因になります。しかし、霧吹きを使って細かな水滴で水を加えると、ソバ粉全体に水がいきわたり、まとまりやすくなります。

ちなみに、アルブミンは水に溶けやすく、ゆでているときに、ゆで汁に溶けていきます。「ソバ湯に栄養がある」と言われるのは、このためです。

十割ソバはソバ粉そのものの味を楽しめる一方、粘りが少ないので、細く切るのは難しいでしょう。グルテンもないので食感がざらっとしており、これを食べづらいと感じるか、食べごたえがあると感じるかは好みが分かれるところです。

二八ソバのように、つなぎとして小麦粉を入れると、こねる段階でグルテンが作られ、粘りが強くなり、水分も保持されやすくなります。食感もつるっとして、もちもちします。地方によっては、小麦粉以外のものをつなぎとしています。新潟県魚沼地方では、海藻のふのりを使ったへぎソバが名物ですね。

へぎソバ。「へぎ」という器に、一口大ずつのせられています。ふのりをつなぎにしたコシのあるそばなので、このような盛りつけが可能です

15分以内

4-2 枝豆が本当においしくなるゆで方

「夏の食べ物」と言えばなんですか？　かき氷、素麺などがありますが、「野菜」に限定すると、スイカ、トウモロコシ、枝豆などがあがるのではないでしょうか？

枝豆は、ダイズ（大豆）の苗を育てて、青いうちに収穫したもの。枝豆として食べるのに向いている品種、豆腐などの材料として使うのに向いている品種などがありますが、いずれもマメ科のダイズという植物の種子部分である点は同じで、大きな違いは収穫のタイミングです。

枝豆もタンパク質が豊富で、おつまみの定番でもあります。一方で、ゆでると甘くなり、おやつとしても重宝します。「枝豆のおいしいゆで方」について、テレビなどで取り上げられることも多いですね。今回は、科学的に自分にあったゆで方を探ってみましょう。

枝豆のゆで方

◆用意するもの

主な材料：枝豆500g※

主な道具：耐熱容器、鍋、電子レンジ

※250gを用意してその全量を使い、下記2または3のいずれかを試してもよい（違いは右ページ参照）。

◆手順

1. 枝豆を枝から外す。
2. 鍋で1Lほどの湯をわかす。沸騰した中に1の半量を入れ、4〜5分ゆでる。
3. 1の残りを耐熱容器に入れ〈a〉、ラップをかける。600Wの電子レンジで5分加熱する。

a

トウモロコシのゆで方

上記と同様の実験がトウモロコシでも可能です。まず、皮を1〜2枚残して、あとはむいておきましょう。鍋を使用する場合は鍋に入れ、かぶるくらいの水を入れて沸騰させたあと、3分間加熱します。電子レンジを使用する場合は、600Wで3分加熱します。

トウモロコシは皮付きのものがゆでやすいです

枝豆に甘みがあるワケ

枝豆は、早朝に収穫されます。太陽が昇り暖かくなると、枝豆の呼吸が活発になり、蓄えていた糖分を消費してしまうからです。収穫後は、糖分を作り出すことができず、減少する一方です。1日たったあとでは、糖分の量が収穫時の2分の1に減少してしまいます。そのため、「鮮度が大切！」なのです。

次に、加熱することによって起こる変化を考えてみましょう。枝豆の成分は水分が70%、炭水化物が5%、タンパク質が12%、脂質が6%程度。炭水化物のほとんどはデンプンの状態になっています。デンプンは、アミラーゼという酵素によって麦芽糖に分解されます。加熱すると、アミラーゼが働くようになり、デンプンが分解され、麦芽糖ができます。デンプンは味がないのですが、麦芽糖は甘いため、加熱後の枝豆は甘くなるのです。

ゆでることも、電子レンジにかけることも目的は同じで「加熱」すること。ゆでたときは、枝豆の水分は失われず、他の成分が流れ出てしまいます。電子レンジでは、水分は失われますが、他の成分が残ったままになります。ぷっくりとした仕上がりが好きな場合はゆでる、味の濃い仕上がりが好きな場合は電子レンジで加熱するというように、好みにあわせるとよいでしょう。

ちなみに、枝豆をゆでたあと、鮮やかな緑色を保つために冷水で洗う方法もあります。枝豆の緑色は主にクロロフィルによるものです。クロロフィルは水に溶けにくいのですが、高温が続くと変色します。冷水で洗うことで変色は抑えられます。しかし、水溶性の甘み成分などは流れ出てしまいます。水っぽい仕上がりを避けたい、でも冷ましたいという場合は洗わずに、室温に置いてうちわなどであおぐとよいでしょう。

4-3 数分で固まる豆腐の不思議

低カロリーなのに、タンパク質が豊富でダイエットの強い味方となるのが「豆腐」ですね。タンパク質というと、「肉や魚」のイメージで、野菜や穀物にはあまり含まれていなさそうです。実際、米に含まれるタンパク質の量は、100gあたり2.5gにすぎません。でも豆腐の主な原料であるダイズには、100gあたり33gものタンパク質が含まれます。

ダイズなどの豆類にタンパク質が豊富なのは、根っこに寄生する根粒菌（こんりゅうきん）のおかげです。タンパク質を作るためには、窒素が必要。根粒菌は豆類から栄養をもらい、代わりに空気中の窒素を取り込んで、豆類に渡しています。空気中の窒素を取り込み、他の化合物に変えるのは、現在の科学技術でも非常に難しいこと。そう考えると、根粒菌はすごいですね！

さて、このダイズを水に浸したり加熱したりして、可溶性のタンパク質などを取り出したのが豆乳です。この豆乳を固めたものが豆腐。もめん、絹など種類によって作り方は異なりますが、凝固剤となるものを豆乳に加えて成型するのは同じです。どのように何を加えるのでしょうか？　簡単な手作り豆腐で試してみましょう。

簡単な豆腐の作り方

◆用意するもの

主な材料：無調整豆乳（300mL）、にがり（3mL）

主な道具：ボウル、耐熱容器（100mL程度入るもの4個ほど）、ラップ、電子レンジ

使う材料はふたつだけ。豆乳は、豆腐店の濃いものや「豆腐が作れる」などと書かれた市販品がダイズ固形分を多く含んでおり、固まりやすいです。にがりは原液タイプがお勧め。大きめのスーパーやドラッグストアなら入手できることが多いでしょう

豆乳が固まるワケ

豆乳を温めるだけでは、表面に膜はできますが、中までは固まりません。にがりを入れると、中まで固まった「豆腐」ができます。なぜでしょう？

にがりは海水から食塩を作ったあとに残る液体で、塩化マグネシウムが主成分です。塩化マグネシウムは水の中では、マグネシウムイオン（Mg^{2+}）と塩化物イオン（Cl^{-}）に分かれています。マグネシウムイオンは2価の陽イオンで、他の陰イオンとつなぐことができるふたつの「手」のようなものを持っています。

大豆のタンパク質のグリシニンには、アミノ酸であるグルタミン酸がたくさん含まれています。グルタミン酸は、水の中では陰イオンとなるカルボキシル基（COO^{-}）を持っています。

にがりの中のマグネシウムイオンは、ふたつのカルボキシル基と手をつなぐことができるので、タンパク質—マグネシウムイオン—タンパク質といったように、次々とタンパク質同士がつながっていきます。

◆手順

1. ボウルに豆乳とにがりを入れ、泡立てないように静かに混ぜる。
2. 耐熱容器に 1 を分け入れ、ラップをかける。
3. 2 を600Wの電子レンジで３分加熱する。
4. 取り出してみて固まっていなかったら、さらに10秒加熱する。
5. 固まるまで 4 を繰り返す。固まったらそのまま冷めるまで置き、ラップごと冷蔵庫で冷やす。

にがりではなく、食塩で豆腐を作ることはできるでしょうか？食塩は塩化ナトリウムで、水の中ではナトリウムイオン（Na^{+}）と塩化物イオン（Cl^{-}）に分かれています。ナトリウムイオンは大豆のタンパク質とくっつきますが、ひとつの手しか持っていないので、ひとつとくっついたらおしまいです。タンパク質を次々にくっつけるためには、ふたつの手を持つ２価の陽イオンが必要なのです。

マグネシウムイオンとふたつのカルボキシル基（模式図）

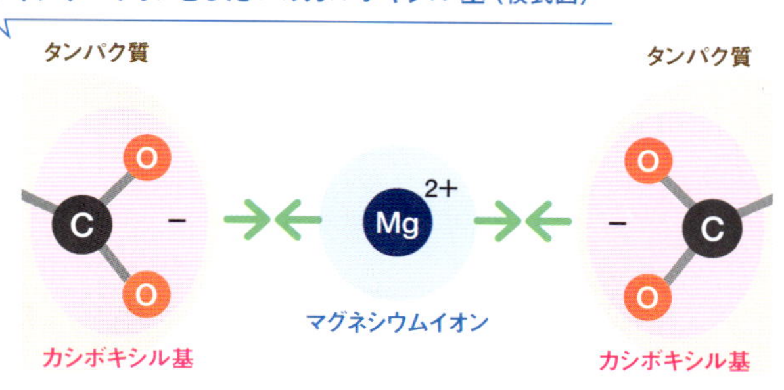

約
3時間

4-4 殻付きで味付きのゆで卵は作れる?

「スーパーマーケットで売られていたウズラの卵を温めたらひながかえった」というニュースがありました。では、ニワトリの卵でも、孵化する可能性はあるのでしょうか？　ウズラは成長しても雌雄の判別が難しく、卵を産むメスだけを飼っているつもりでも、オスを混ぜて育ててしまい、有精卵となってしまうことがあるようです。

ニワトリは成長すると、オスはトサカが大きくなるので見た目で判別することが容易です。でも、ひよこのときは、見た目からは雌雄の判別が非常に困難です。生まれてすぐのひよこのお尻を見て、肛門のわずかな違いから雌雄を判別するプロフェッショナルが「初生雛鑑別師」。その手によって、採卵のために育てられるひよこは、ほぼメスだけが残されます。その後、成長して産卵するころにはハッキリ雌雄がわかるようになるので、オスはすべて連れ出されます。そのため、市販されているニワトリの卵は無精卵ばかりとなり、温めても孵化しません。

オスのことを考えると複雑な気持ちになりますが、卵は私たち人間に非常に身近な存在で、さまざまな食べられ方をしています。駅の売店やコンビニ、ホテルの朝食会場などでおなじみ、殻付きのゆで卵もそのひとつ。これらに、塩味がついていることがありますね。殻を通して、何が起こったのでしょうか？

味付きゆで卵の作り方

◆用意するもの

主な材料：卵（1個）、塩（大さじ3）

主な道具：ジッパー付きビニール袋（熱に強いもの）、鍋

◆手順

1. ジッパー付きビニール袋に塩を入れ、水を100mL加える。よく混ぜる（塩は溶けきらなくてもよい）。
2. 鍋に湯を沸かし、卵を入れてゆで卵にする。半熟でも硬めでも、好みでOK。
3. ゆであがった卵を熱いうちに1に入れる〈a〉。冷めたら袋ごと、冷蔵庫で2～3時間置く。殻をむく〈b〉。

a

b

中まで味付きになったワケ

魚と鳥の卵の大きな違いは、殻（卵殻）があるかどうかです。魚の卵には、殻はありません。水の中にあるので、乾燥する心配がないからです。一方、鳥の卵は違います。陸上にある卵は、そのままでは乾燥してしまいます。それを防ぐために、鳥の卵は硬い殻に包まれるようになったのです。

黄身（卵黄）はひよこになるために使われる栄養分で、タンパク質や脂肪が多く含まれています。白身（卵白）は孵化途中のひよこを守るクッションの役割をしています。ほとんどが水分で、10％程度のタンパク質が含まれています。このような成分の違いから、黄身と白身では、固まる温度が異なります。黄身は65～70℃、白身は70～80℃で固まります。この温度差を利用して作られるのが温泉卵です。65～70℃で温め続けると、黄身は固まりますが、白身は固まりません。

さて、卵殻は炭酸カルシウムからできていて、卵の中と外でガスを交換するための小さな穴が1万個以上開いています。卵殻の内側には薄い卵膜があります。この卵膜には、半透性といって、「大きい分子は通さないけれど、小さな分子やイオンは通す」性質があります。半透性のある膜の内側と外側で物質の濃度が違う場合には、濃度が同じになるように物質が移動します。外側の食塩濃度が濃い場合には、内側に塩分が移動するのです。加熱をすると、卵膜は物質を通しやすくなります。

濃い食塩水に浸したゆで卵では、食塩水が卵殻を通り、卵膜を通して塩分が染み込んでいくということが起こり、中まで味がつくのです。

4-5 「つなぎ」なしハンバーグに挑戦

約30分

食べ物には、その国の地理的事情が反映されています。日本は海に囲まれているので、魚の加工品が多いですが、森が多いドイツでは豚の加工品が多いですね。血液を入れたブラッドソーセージ、舌を入れたタンソーセージなども一般的だそうです。

ハンバーグの語源はドイツのハンブルク（Hamburg）です。ハンブルク地方では、肉の硬い部分を細かく刻んで焼いて食べていたそうで、アメリカへ移民した人たちから、世界に広がったようです。

さてこのハンバーグ、日本の家庭では、ひき肉にパン粉や牛乳、卵を加えて作ることが多いでしょう。パン粉や牛乳、卵は「つなぎ」と呼ばれ、材料同士をつなぐ力が強いのは卵です。加熱すると凝固する性質があるためですね。しかし欧米では、これらを使わず、肉とあるものでハンバーグを作ることが多いようです。いったい何を使っているのでしょう？

つなぎなしハンバーグの作り方

用意するもの

主な材料：ひき肉（牛または豚のもの150g）、塩（ひき肉の１％重量、小さじ¼ほど）、コショウ（少々）、ナツメグ（少々）

主な道具：ボウル、フライパン、フライパンのふた、フライ返し

手順

1. ボウルに、ひき肉、塩、コショウ、ナツメグを入れ、粘りが出るまでよく手で混ぜる〈a〉。平たく楕円形に丸める。
2. フライパンに油をひいて火にかけ、1を２分焼く。ひっくり返してフライパンのふたをし、弱火で７〜８分焼く。火を止める。

＊出来上がりをまずはそのまま観察し、あとは、好みのソースをかけたり、ゆで野菜を添えたりしてもよいでしょう。

ひき肉が粘るようになったワケ

食肉は、動物の体を動かす筋肉である「骨格筋」を熟成したものです。骨格筋は約70%が水分で、約20%がタンパク質です。骨格筋のタンパク質には数十種類あるのですが、一番多いのがミオシンです。ミオシンはアクチンというタンパク質と一緒に、筋肉を収縮させる働きをつかさどっています。

ミオシンは、頭部がふたつに分かれ、その後ろに長い鎖がつながっている大きなタンパク質です。ちょうどカイワレ大根のような形をしています。水には溶けないのですが、食塩水には溶けます。ひき肉に塩を加えてこねると、ミオシン分子が溶け出します。ミオシン分子同士がからまりあうため、粘りが出ます。加熱をすると、さらに強くからまりあい、中に水などが閉じ込められ、弾力のある「肉団子」状態になります。つなぎを入れなくてもハンバーグができたのはこのためです。

ミオシン、アクチンと筋肉の構造（模式図）

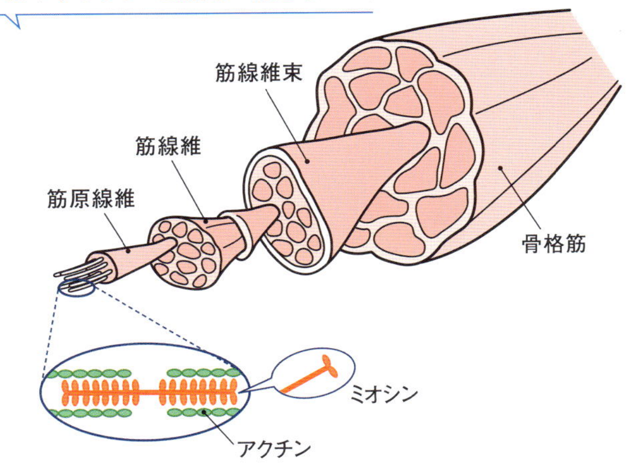

コラム ソーセージやハムに亜硝酸塩を添加する理由

日本の食塩は海水から造られますが、ドイツの食塩は岩塩から造られています。岩塩には硝酸成分が含まれています。この硝酸成分が肉と反応して、亜硝酸塩となります。食肉の中のミオグロビンは亜硝酸塩と反応して、ニトロソミオグロビンとなり、加熱によりニトロソヘモクロモーゲンに変化します。ニトロソヘモクロモーゲンはきれいなピンク色で、これがハムやソーセージの色になっています。硝酸成分を含まない海水塩ではピンク色にはなりません。

亜硝酸塩は色を変える以外にも重要な働きをしています。加工肉は非常に毒性の高いボツリヌス菌が繁殖する可能性があるのですが、亜硝酸塩を添加することで、繁殖を抑えられます。また、亜硝酸塩によってハムやソーセージに独特のフレーバーも生成します。

ハムやソーセージを作るときに岩塩を使用すると、おいしそうな色になり、風味がよくなることは、古代ヨーロッパでも知られていたそうです。現在は発色剤として、亜硝酸ナトリウム、硝酸カリウム、硝酸ナトリウムが使われています

亜硝酸塩が含まれていることを不安に思っている人もいるようで、「無塩漬（むえんせき）ハム」などが売られています。これは亜硝酸塩を入れずに作ったハムなので、ピンク色ではありません。

野菜を食べると、その中に含まれている硝酸塩が体内で亜硝酸塩に変化します。この亜硝酸塩の量よりも、ハムやソーセージから摂取する亜硝酸塩の量はずっと少ないのです。そして、添加物、汚染物質について科学的データに基づくリスク評価を行う世界的機関FAO/WHO合同食品添加物専門家会議（JECFA）は、野菜由来の亜硝酸塩摂取と発がんリスクとの間に関連があるという証拠は見られないとしています。

食肉は単に死んだ動物の骨格筋というわけではありません。動物が死んでしばらくたつと、死後硬直が起こります。このときはミオシンとアクチンががっちりと結合してしまい、非常に硬い状態です。その後、5℃ほどでしばらく熟成すると、ミオシンとアクチンが乖離（かいり）するとともに、さまざまなタンパク質が分解されて、アミノ酸やペプチドが増えます。

家畜の腸にはカンピロバクターや腸管出血性大腸菌などの食中毒を引き起こす細菌がいます。どんなに注意して処理しても、肉に付着する菌をなくすことは困難です。ただ、このような細菌は熱に弱く、加熱により死滅します。食肉は、たとえ新鮮であっても加熱して食べるようにしましょう。

4-6 仲介者が大切！ マヨネーズ作り

約30分

仲の悪いものの例えと言えば、「水と油」ですね。一生懸命に混ぜても、しばらくすると分離してしまいます。油で汚れたお皿を水だけで洗っても、きれいにはなりませんね。これは、水と油が混ざらないからです。

一方で、マヨネーズには油と酢が使われていますが、混ざりあったままです。酢には水分が多く含まれますが、「マヨネーズをほうっておいたら分離した」ということはありません。なぜでしょう？

洗剤を使うと油汚れが落ちる理由と、マヨネーズが分離しない理由は、同じなのです。両方とも、「界面活性剤」が、油を包み込んで、水の中に分散させているのです。界面活性剤というと、洗剤やシャンプーを思い出す方もいるかもしれませんが、「違うふたつのものをなじませる働きのある」もの全般を指します。界面とは「互いに違うふたつの物質が接する面」のことです。

マヨネーズの場合、界面活性剤は卵黄中の「レシチン」。卵黄がないと、油と水が混ざっているマヨネーズはできないのです。

マヨネーズの作り方

◆用意するもの

主な材料：卵黄（2個分）、塩（小さじ1）、油（180mL）、酢（大さじ2）、マスタード（小さじ1）

主な道具：ボウル、泡立て器

◆手順

1. ボウルに卵黄、塩、酢を入れ、よく混ぜる。
2. 1をよく混ぜながら、油を少しずつ加える（10回ほどに分けて入れるか、ⓐのように2人で手分けをするとよい）。

＊酢と卵黄が一体化していないと失敗するので、最初によく混ぜるのがポイントです。
＊温度が低いとうまくいきません。材料はすべて室温に戻したものを使いましょう。

酢と油が混ざったワケ

水分子と油分子はくっつきません。多くの物質の分子は「水分子にはくっつくけど、油分子にはくっつかない（水溶性）」、もしくは「油分子にはくっつくけど、水分子にはくっつかない（脂溶性）」という性質を持っています。でも、ひとつの分子の中に、水分子にくっつく部分（親水基）と油分子にくっつく部分（親油基）の両方を持った物質もあります。このような物質を、前述の通り、界面活性剤と言います。卵黄の中には界面活性剤の「レシチン」が含まれています。

レシチンを水に入れると、水分子にくっつく部分が外側、油分子にくっつく部分が内側となる球状になります。油の中に入れると、油分子にくっつく部分を外側、水分子にくっつく部分を内側にして球状になります。水の中に油とレシチンがあると、レシチンは油を内側に包み込んで、水の中に分散します。マヨネーズの材料は、酢（水分）よりも油の方がずっと多いのですが、分子レベルで見ると、水の中にレシチンに包まれた油が浮いている状態です。

マヨネーズの構造（模式図）

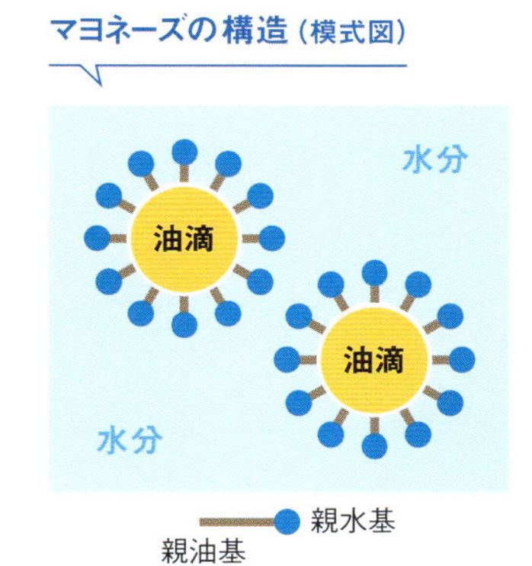

「ひとつの分子中に親水基と親油基を持つもの」はすべて界面活性剤であり、私たちの体内にも多く存在します。レシチンも、卵黄だけでなく、私たちの体内の細胞にも必ず含まれています。レシチンがないと、栄養分の運搬や吸収、老廃物の排泄などができません。

4-7 大きなプリンを作ろう！

「大きなプリンを食べたい！」と思ったことはありませんか？　プリンは卵と砂糖と牛乳さえあればできるのに、全体に「す」が入ってしまい、ぼそぼそしたプリンになってしまうことが多いので、家で作るのを躊躇しがちです。でも、圧力鍋を使えば、簡単に大きなプリンを作ることが可能なんですよ。

大きなプリンの作り方

用意するもの

主なプリンの材料：卵（2個）、牛乳（300mL）、砂糖（60g）、バニラエッセンス（2～3滴）

主なカラメルソースの材料：砂糖（大さじ2）、水

主な道具：耐熱容器（大きめのもの）、ボウル、こし器（または目の細かいザル）、耐熱カップ、圧力鍋、電子レンジ

＊材料すべてが入る耐熱容器、さらにそれが入る圧力鍋を用意しましょう。圧力鍋は、加熱後の圧力がかかったタイミングがわかる、圧力表示ピンなどのついたものがお勧め。

手順

1. カラメルソースを作る。耐熱容器に砂糖を入れ、水を大さじ1加える〈ⓐ〉。600Wの電子レンジで1分間加熱する〈ⓑ〉。カラメル状になっていなかったら、さらに10秒ずつ加熱する。
2. プリンを作る。ボウルに卵を割り入れ、白身を切るようによく混ぜる。牛乳のうち100mLを加えて混ぜる。
3. 残りの牛乳（200mL）と砂糖を耐熱カップに入れ、電子レンジで40秒ほど加熱する。加熱後、よく混ぜて砂糖を溶かす。
4. 2に3とバニラエッセンスを加える。
5. 4をこし器でこしながら、カラメルソースが固まった1の上に注ぐ〈ⓒ〉。
6. 圧力鍋に5を入れ、耐熱容器の半分くらいまで水を入れる〈ⓓ〉。
7. 火にかける（圧力を設定できる場合は低圧でよい）。圧力がかかったら（ⓔの圧力表示ピンが上がったら）、すぐ火を止めて、圧力や温度が下がるまでそのまま置く。

＊カラメルソースを作る際、砂糖水が色づき始めると一気にカラメル化します。加熱しすぎると焦げてしまうので注意が必要です。
＊鍋のふたを開けて、プリンが固まっていないようだったら、再度加熱しましょう。
＊取り出したら、耐熱容器のまま〈f〉でも。大きな皿をぴったりと上部に当て、ひっくり返しても。

プリンに「す」が入りやすいワケ

プリンに「す」が入ってしまうのはなぜでしょう？　卵の中のタンパク質は、70℃くらいで固まります。さらに加熱すると、水分が蒸発し、固まったタンパク質を突き破って、外に出ていきます。卵を含むプリン液の「タンパク質が固まったあとは、水分を蒸発させない」というのが、「す」が入らないためのコツなのです。

圧力鍋を使うと、水分の蒸発する温度が100℃よりも高くなります。そのため、タンパク質が固まり始めてから、水分が蒸発するまでの時間が長くなり、タンパク質がしっかりと固まります。

加圧ピンが上がったということは、「水分が蒸発した」ということなので、その後、圧力鍋からシュンシュンと音がするぐらいに

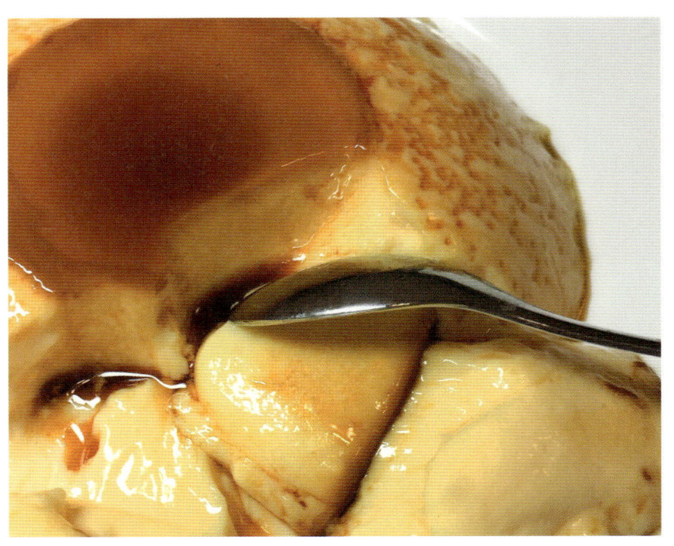

今回のようにして作ったプリンは、表面に凹凸があっても、中にはすが入っていません

なっても加熱を続けると、「す」が入ってしまうことになります。そのため、ここで火を止めることが大切です。

圧力鍋の場合、ふたをしたままであれば、温度の低下はゆっくりです。固まっていなかったタンパク質も、この間に固まりますし、水分は蒸発しないので、「す」は入りません。

大きな容器でプリンを作る場合、中心部までなかなか熱が伝わりません。そのため、中には「す」が入らないのですが、表面部分に「す」が入ってしまいがちです。小さな容器に小分けしてプリンを作ると、表面にも「す」が入りません。

柔らかなプリンを作るためには砂糖も必要です。タンパク質は熱を加えると固まりますが、砂糖の量によって固まりやすさが変わります。砂糖が多いほど柔らかくなるのですが、砂糖の濃度がプリン液の30%を超えると、ドロドロとしたゲル状のままで固体にならなくなります。

なめらかなプリンを作りたい場合には、卵黄の比率を多くして作るとうまくいきます。卵白のタンパク質は硬めに固まり、卵黄のタンパク質は柔らかく固まるからです。

なめらかなプリンに仕上げるには、加熱しすぎない、使用する卵黄の重さの比率を大きくする、小さく作る、マヨネーズを少し加える（乳化された油や酢がタンパク質の結合をゆるくする）といった方法が知られています

コラム　2日目のカレーはなぜおいしい？

カレーは出来立てよりも、2日目の方がおいしいですね。1日の間に、どんな変化が起こっているのでしょうか？

日本のカレールーには小麦粉が入っていて、そのデンプンによってとろみが出るようになっています。野菜や肉などの具材を柔らかく煮てからカレールーを加えますが、とろみのあるカレー汁となり、なかなか具材の中まで浸透しません。具材の中の水分は加熱によって膨張し、細胞の外に出ていっている状態です。

火を止めると、カレー汁の方が具材よりも速く冷めます。冷ましている過程で、温度の高い具材から、温度の低いカレー汁に、水分とともにアミノ酸、糖類などの成分が染み出ていきます。これらの成分により、カレー汁にコクが生まれます。

一度全体が冷めてから温めなおすと、具材よりもカレー汁の方が温まりやすいので、カレー汁が、水分が抜けた具材に浸透しやすくなります。2日目のカレーがおいしいのは、コクが増えたことと、具材にカレー汁が染み込んだからなのです。

ただし、カレーの保存には注意が必要です。ヒトや動物の腸内によくいる「ウエルシュ菌」が増える可能性があります。ウエルシュ菌は熱に強く、ぐつぐつとカレーを再加熱しても、生き残ります。空気のないところで繁殖する細菌（嫌気性細菌）なので、カレー鍋の中は、菌の繁殖にとって格好の場なのです。一番繁殖しやすい温度は43～45℃です。ウエルシュ菌は無味無臭のため、増えていても気づくことができません。夏場の保存は冷蔵庫で行いましょう。

家庭で行う実験の作法

本書冒頭でもお話ししましたが、「家庭料理」と「科学実験」には異なる部分があります。実験では、「再現性」と「結果の検証」が特に重要です。自由研究として行う場合はもちろん、SNSやブログの話題にする場合も、下記のことに注意するとよいでしょう。

（1）計量、計測は正確に！

正確に計量することが大切です。重さであれば、0.1g単位で表示されるデジタルばかり（p.104参照）を使って計量するのが望ましいです。大さじ等で計量する場合は、「すりきり」にして、正確に計量しましょう。

（2）実験をアレンジするには？

たとえば、うどんを作る実験（p.76参照）をアレンジして、小麦粉の種類の違いを調べるとしましょう。この場合、薄力粉と強力粉を混ぜて使ったり、薄力粉だけを使ったり、といったケースを比較することになります。変えていいのは、粉の種類や割合だけです。粉の合計量、加える食塩や水の量、こねる時間やこね方は必ず同じにしなくてはいけません。他の条件も変えてしまうと、粉の種類による違いなのか、他の条件による違いなのかがわからなくなります。

（3）予想通りの結果にならなかったら？

予想通りの結果にならなかったときは、原因を細かく考えてみましょう。そして実験の条件を少しずつ変えていき、結果を比べると、それが「研究」になります。

実験の「まとめ」方

また、研究として実験をするためには、準備だけでなく、実験結果をきちんと書いていくことも必要です。まずは「実験ノート」を作りましょう。きちんと書けて、あとから全体を見直せるものであれば、ノートでなくてもかまいません。スマートフォンやパソコンの文書作成ツールなどでもよいでしょう。

①実験の内容

まず、どんな実験をするのかを書いておく必要があります。たとえば「○○を作る」といったように、実験内容を簡潔に表すものであればOKです。

②日付や時刻

いつ何をしたのかがわかるように、日付や時刻を書きましょう。ロックキャンディ（p.24参照）のように時間がかかるものは、いつ何を始めたのか、記録しておくことが大事です。

③実験の目的

何を調べることを目的とするかを書きましょう。たとえば、マヨネーズ作り（p.172参照）ひとつにしても、「油と水は混ざるのかを調べる」場合と「どのくらいの量の油が混ざるのかを調べる」場合では、実行することや観察するポイントが変わってきます。

④自分の予想

どんな結果になるか、自分なりに予想してみましょう。

⑤実験の計画・実験の方法

どんな材料をどのくらい使って、どのような手順で実験するかを書きましょう。ここでしっかりと計画を立てることが大切です。材料の量を変化させる場合はどれくらい変化させるのか、材料の種類を変えて比べる場合はどのような材料を使うのかなど、実験をする前に考えないと、準備ができませんね。

実験本番では、重さや時間を必ず計測し、もしも計画と差異が生じたら、必ずその数値を書き加えましょう。実験に大切なのは「再現性」です。料理でも、材料の重さを数値化することで、味を再現しやすくなります。

⑥実験結果

どういう結果だったか、文章で記述するとともに写真も撮っておくと、ひと目で状況が伝わります。失敗したとしてもそのまま書き、撮りましょう。実験は1回だけではなく何度も行って、同じ結果になるかどうか確認するのが理想的です。

⑦考察

どうしてこのような結果になったのかを書きましょう。本などで調べた知識もふまえ、自分の考えを述べることが必要です。

⑧参考にした本

実験の前後や考察するときに参考にした本があれば書きましょう。インターネットで調べたのなら、URLを控えます。

実験ノートが書けて、その内容を誰かに伝えたいと思ったら、レポートや模造紙に「まとめ」てみましょう。

そのときには、下記のふたつを最初に書き加えましょう。

● タイトル

実験ノートに書いた「実験の内容」とは違って、他の人に自分のしたことを伝えるためのタイトルです。タイトルを見た人が、「どんな内容なんだろう？　おもしろそうだな」と思うようなフレーズを考えましょう。書店に並んだ本や新聞、ニュースサイトの記事も、まずタイトルを見て読むかどうかを決めますね。たとえば「マヨネーズの作り方」ではなく、「混ざり合わない水と油を仲よくさせる卵黄の力」など、擬人化する表現法もよいでしょう。

● きっかけ

研究者の科学論文には必要ないのですが、自由研究やブログなどで書くといいのは「なぜこの実験をしようと思ったのか？」という、きっかけです。「私はマヨネーズが大好きです。どのように作るのかを調べようと思いました」といった内容でも大丈夫です。

自由研究として学校に提出する場合、模造紙１枚にまとめることが多いと思います。学校で制限されていなければ、パソコンを活用するのも手です。著者の子どもは小学校高学年で、「タイトルや項目名、グラフ、表は手で書く。その他はパソコンで作成したものを印刷し、模造紙に貼りつける」方法で作りました。字を書くのが苦手な子どもにとって取り組みやすくなるうえ、すべて手書きのものよりも修正しやすいです。まとめ方に決まった形はありません。

おわりに

この10年間で世界は激変しました。前著『家族で楽しむおもしろ科学実験』は2008年に出版されました。ちょうど、日本で初めてiPhoneが発売されたころ。それが今や、スマートフォン普及率は7割を超えたと見られ、「わからないことはいつでもどこでも検索すればいい」という時代になっています。

2008年当時、ひっきりなしに「なんで？」と聞いてくる保育園児だった我が子たちも、中学校1年生と小学校6年生となり、私が知らなくて、彼らが知っていることも増えてきました。前著制作時には「お手伝いする！」と言って、実験の進行を妨げていましたが、本書の写真撮影時には、頼りになる実験助手として、動いてくれました。ありがとう。

そして私自身も、前著執筆時とは仕事が大きく変わりました。現在は、筑波大学において、理数に秀でた生徒たちをサポートするための仕事にたずさわっています。2008年度から文部科学省は「理数に秀でた児童・生徒たちを大学において個人的にサポートをする」という事業を継続的に行っています。彼らは、通常の学校教育のレベルでは飽き足らなくなっています。また自由研究においても、中高の理科の先生では指導しきれないレベルに達している生徒もいます。このような「浮きこぼれた」生徒たちに対する指導を行えるのは、科学の専門家です。

数百名におよぶ生徒たちを支援し、自分自身も子育てをする中で、現時点の日本の教育においては、「試行錯誤をする機会が少ないこと」が気にかかっています。学校で行う実験は「結果がわかっているもの」であることが多く、「結果がどうなるのかわからない実験」をすることは、ほとんどありません。

でも、社会人になったあとは、「答えのわかっていること」に取り組むことは、まずありません。成功するかどうか、そしてやり方すらわからなくても、自分で考えなくてはいけません。それなのに、高校生までの間（もしかしたら大学生になっても）、「試行錯誤をする学習」は、ほとんどありません。「練習していないのに、いきなり本番」は難しいことなのに。

子どもたちだけでなく、大人になっても、試行錯誤をする機会は少ないかもしれません。本書に掲載した実験を、読者の皆さんそれぞれがアレンジし、試行錯誤をしていただくことで、「自分だけの発見」につながれば、とてもうれしいです。

最後になりますが、企画から写真撮影時の盛りつけまで、大変お世話になったSBクリエイティブの田上理香子さん、我が家で撮ったとは思えない素敵な写真を撮ってくださったカメラマンの佳川奈央さん、ありがとうございました！

《参考文献》

小倉明彦/著『実況・料理生物学』(大阪大学出版会、2011年)

石川伸一/著『料理と科学のおいしい出会い』(化学同人、2014年)

ロバート＝ウォルク/著、ハーパー保子/翻訳『料理の科学〈1〉』(楽工社、2012年)

Jeff Potter/著、水原 文/翻訳『Cooking for Geeks 第2版』(オライリージャパン、2016年)

上野 聡/著『チョコレートはなぜ美味しいのか』(集英社、2016年)

杉田浩一/著『新装版「こつ」の科学』(柴田書店、2006年)

佐藤秀美/著『おいしさをつくる「熱」の科学』(柴田書店、2007年)

豊満美峰子/監修、桑山慧人/イラスト『料理のコツ 解剖図鑑』(サンクチュアリ出版、2015年)

Harold McGee/著、香西みどり/監修・翻訳、北山 薫・北山 雅彦/翻訳『マギー キッチンサイエンス』(共立出版、2008年)

サリー /著『「おいしい」を科学して、レシピにしました。』(サンマーク出版、2013年)

Vicki Cobb/Author, Tad Carpenter/Illustrator *Science Experiments You Can Eat* (HarperCollins,2016)

Andy Brunning/著、高橋秀依・夏苅英昭/翻訳『カリカリベーコンはどうして美味しいにおいなの?』(化学同人、2016年)

細野明義・鈴木敦士/著『畜産加工』(朝倉書店、1989年)

池内昌彦・伊藤元己・箸本春樹/監修・翻訳『キャンベル生物学 原書9版』(丸善出版、2013年)

ジャック=アンドレイカ・マシュー=リシアック/著、中里京子/翻訳『ぼくは科学の力で世界を変えることに決めた』(講談社、2015年)

《参考論文》

渕上倫子「ペクチン質の加熱分解に及ぼすpHの影響」(『日本栄養・食糧学会誌』36<4>、pp.294〜298、1983年)

澤山 茂、川端晶子「ペクチン質の理化学的性質に及ぼすpH, 加熱および添加塩の影響」(『日本栄養・食糧学会誌』42<6>、pp.461〜465、1983年)

安部勇徹、近乗偉夫「ミニトマトの糖度選別機」(『九州農業研究』53、p.157、1991年)

佐藤広顕「ジャガイモの加工特性に及ぼす細胞分離性に関する研究」(『日本食品保蔵科学会誌』31<6>、pp.325〜332、2005年)

妻鹿絢子、三橋富子、藤木澄子、荒川信彦「ショウガプロテアーゼの筋原繊維たんぱく質に及ぼす影響」(『家政学雑誌』34<2>、pp.79〜82、1983年)

林 良純「カラギナンの特性と利用法」(『繊維学会誌』65<11>、pp.412〜421、2009年)

索引

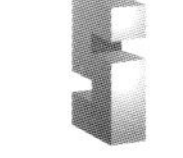

サイエンス・アイ新書

SIS-383

http://sciencei.sbcr.jp/

「食(た)べられる」科学実験(かがくじっけん)セレクション

身近(みぢか)な料理(りょうり)の色(いろ)が変(か)わる？ たった1分(ぷん)でアイスができる？

2017年7月25日　初版第1刷発行
2021年9月 5 日　初版第5刷発行

著　者　尾嶋好美(おじまよしみ)
発行者　小川 淳
発行所　SBクリエイティブ株式会社
〒106-0032　東京都港区六本木2-4-5
電話：03-5549-1201（営業部）
組版・装丁　ごぼうデザイン事務所
印刷・製本　株式会社シナノ パブリッシング プレス

本書をお読みになったご意見・ご感想を
下記URL、右記QRコードよりお寄せください。
https://isbn.sbcr.jp/90964/

　ISBN 978-4-7973-9096-4

SB Creative